La mort... Quelle aventure!

Gilles M. Pépin

1ère édition : août 1997
Les Éditions G I V O N D
1510, rue Roberval,
Saint Bruno, (Québec)
Canada
J3V 4Z5

ISBN-2-9805667-0-5
Dépôt légal, 1997
Bibliothèque nationale du Québec
Bibliothèque nationale du Canada
Bibliothèque nationale de Paris
Library of Congress, Washington, D.C.

À Pierrette

Ma Sœurette...
Éphémère de splendeur
et Légende de bonheur.

Table des matières

INTRODUCTION

« Il me fut montré une grande boule de lumière.
Il en sortait des rayons de lumière éclatants
et des rayons très ternes y retournaient.
J'entendis les mots :
Quand tu auras parcouru le cycle complet,
tu retourneras à Moi, la source de toute vie,
et tu deviendras un avec Moi,
comme tu l'étais au commencement. »
(Eileen CADDY, *la petite voix*)

J'ai été tout au cours de ma vie un être très privilégié. J'ai vécu avec plusieurs personnes, les derniers instants de leur vie. J'ai pu vérifier à travers ces expériences, que beaucoup de personnes éprouvent une peur redoutable face au phénomène de la mort, car tant que nous vivons nous ne pouvons l'examiner que de l'extérieur.

Par ailleurs, dans notre civilisation occidentale, ce sujet est souvent demeuré tabou, parce qu'on ne veut pas réveiller les archétypes effrayants que nous ont légués nos ancêtres à ce sujet. On n'a qu'à se rappeler, qu'il n'y a quand même pas si longtemps, le rituel des funérailles débutait toujours à l'église, par le macabre et tonitruant cantique du « *DIES IRAE* », où la dépouille du défunt était accueillie en grande pompe, par ce chant à la gloire du « *JOUR DE LA COLÈRE DE DIEU* », supporté par le bruit infernal et alarmant des orgues déchaînées pour la circonstance. Ce rite fait partie de notre conscience collective et il doit un jour en être débusqué.

La peur est souvent engendrée par l'ignorance, par l'inconnu. De là ce livre, où je présente quelques perspectives sur ce qui peut survenir après la mort. Les scénarios offerts ici ne reposent sur aucune certitude et aucune étude scientifique. Toutefois, ils ont peut être l'avantage de permettre un regard plus positif sur ce phénomène de la mort. Mon but est de faire une œuvre utile, d'aider quelques personnes à faire leur propre transition dans une certaine paix et de permettre à ceux qui restent, de vivre leur deuil dans la dignité. Susciter ainsi une réflexion personnelle, telle est la raison d'être de cet essai sur un art de mourir, car rien ne peut remplacer nos propres intuitions dictées par nos cheminements respectifs. Nos routes peuvent se croiser parfois, mais elles ne sont jamais identiques. Par contre, nous pouvons, chacun de notre côté, développer une certaine quiétude en face de la mort qui est le lot de tous les humains. Notre quête peut être très fébrile comme elle peut être paisible et sereine.

Je suis d'avis qu'il serait profitable de reprendre toute notre réflexion sur ce thème de la mort, à la lumière de certaines approches suggérées par d'autres cultures du globe, où la mort n'est pas considérée comme une fin bête et stupide, mais bien comme un rituel tout aussi capital que celui de notre naissance, de notre avènement à ce monde terrestre.

En nous, vit une parcelle d'être divin qui constitue notre condition originelle. Nous sommes tous sur le chemin du retour vers notre Créateur, un Dieu d'amour, de sagesse et de mansuétude infinis. Chacun de nos périples demeurent uniques bien que solidaires. Puissions-nous ouvrir nos esprits et laisser pénétrer en nous la vraisemblable perception du sens global de la vie. Seul Dieu peut nous guider dans notre cheminement vers le discernement qui ne peut être que personnel.

La personne qui développe la foi en Dieu et dans l'au-delà sait que sa croyance lui apporte la certitude de son immortalité, l'espérance d'une transformation de sa vie, et la charité qui l'amènera auprès des personnes qu'elle a aimées sincèrement et qu'elle retrouvera au paradis. De plus, elle sait que le trépas n'est pas une brisure de la vie, mais seulement une orientation fondamentale, marquée par le sceau de la continuité. Mais, comme le dit si bien la chanson : « *Tout le monde veut aller au ciel, mais personne ne veut mourir !* »

SEMENCES D'ÉTOILES

Nous sommes des semences d'étoiles
Qui ont besoin d'ardents soleils
Et de lunes fraîches
Pour éclore sur cette planète.
À chaque saison il nous faut renaître
Et refaire le cycle de nos vies,
Pour suivre les repères de nos destinées.
Ce rite se répète à chaque jour,
À travers les incidents de parcours
Qui tissent les draps de nos amours.
À la tombée de la nuit de nos vies,
Comme la terre sous la neige, endormis,
Nous regarderons le monde à l'envers.
Nous quitterons cette piste obscure
En changeant de parure.
Dans un dernier battement de l'âme,
Le champ de la magie de nos cœurs
Éliminera enfin toutes nos peurs.
Il ne nous restera alors qu'un sentiment,
Celui du devoir accompli.
Nous pourrons enfin vivre l'éternel présent
Après avoir enterré le passé dans l'oubli.

I Accompagnement

Mon père, Delphis de son prénom, venait d'avoir soixante-quinze ans et j'ai osé lui poser une question que je considérais bien anodine, mais qui a provoqué chez lui une réaction très véhémente. En effet, je lui demandai, plus par curiosité que par tout autre sentiment, puisqu'il était sans le sou, s'il avait déjà pensé à rédiger un testament. Il entra dans une colère dramatique m'accusant de désirer sa mort. Il me dit qu'il était bien trop jeune pour penser faire son testament et que je ne devais jamais « parler de ces choses-là », que j'attirerais sûrement le malheur dans sa demeure.

Delphis Pépin est décédé le 17 mai 1988, à l'âge de quatre-vingt-huit ans, (le 8 était son chiffre chanceux !), tout simplement à la fin de son mandat de vie sur cette terre. Au moment de sa transition, il quitta ses quatorze enfants et accosta sur l'autre rive de la vie où déjà son épouse, Paula, et une de ses onze filles, Pierrette, qui ne vécut que quelques jours, l'avaient précédé.

Comment avais-je pu oublier que mon paternel était excessivement superstitieux et que le sujet de la mort, avec celui des chats noirs, devaient être bannis de toute conversation. J'avais l'impression que dans son esprit, la seule mention du trépas avait pour effet d'en rapprocher l'heure. En d'autres termes, si on en parlait, on établissait alors comme un tunnel qui allait précipiter l'Ange de la mort plus rapidement vers nous. Il semblait croire aussi pouvoir conjurer la fin en l'ignorant, en faisant comme si elle n'existait pas. Pour ma part, je n'ai jamais entretenu de crainte face à ce phénomène de la mort que j'ai toujours considéré tout aussi naturel que celui de la naissance. De là, ma question que j'estime encore aujourd'hui inoffensive, mais qui peut engendrer un véritable supplice chez une personne qui a une peur viscérale de la mort.

* * *

Il y a bien un vingtaine d'années déjà, j'ai accompagné Estelle T. Cette merveilleuse amie m'avait fait promettre d'être à ses côtés le jour où elle serait à l'article de la mort. Elle vécut à travers les souffrances pénibles d'un cancer terminal qui s'éternisait et qui mettait son mari Walter dans tous ses états. En plus de la peine dévastatrice causée par la maladie de sa tendre conjointe, il devait subir le calvaire de la peur de la mort et de tout ce qui l'entoure. Sa phobie l'avait tenu, jusqu'à ce jour, éloigné de tout salon funéraire. Il appréhendait le moment où Estelle quitterait son corps pour devenir un esprit.

Sa transition fut pénible parce qu'elle connaissait les frayeurs de Walter ; ce qui semblait retarder son départ.

Elle attendit le jour de l'anniversaire de naissance de son mari pour partir. Nous étions auprès d'elle ce jour-là et, en reprenant conscience à notre arrivée, elle lui demanda quel jour nous étions. Walter lui répondit que c'était samedi. Elle le reprit pour lui dire que non, c'était plutôt le jour de ses trente-six ans, qu'il lui devait deux baisers, un pour sa fête et un autre pour son long voyage. C'est ainsi qu'elle nous quitta, et pour la première fois de sa vie Walter avait pu vaincre ses appréhensions. Nous sommes demeurés chaque côté d'elle, les mains dans les mains, jusqu'à son dernier souffle.

À l'époque, je ne croyais pas en un Dieu et encore moins à une forme de vie après la mort terrestre. Je me souviens d'avoir jeté un dernier regard sur le corps inanimé d'Estelle et d'avoir éprouvé des sentiments de profonde amertume. La coupure brutale de la mort l'avait fait passer, en un instant, d'être bien vivant, malgré toute la dégradation causée par la maladie, à cette condition cadavérique qui m'inspirait du dépit et de la révolte face à la condition humaine.

* * *

Les jours précédant le décès de ma mère, Paula Cadieux, furent des moments privilégiés de communication et d'intimité. Mes frères et sœurs se disputaient les moments précieux qui lui restaient pour saisir un dernier sourire, une ultime parole d'encouragement pour pouvoir supporter la peine atroce engendrée par la perspective de la séparation prochaine. Maman nous a aimés comme toute mère chérit, c'est-à-dire aux besoins, en s'oubliant elle-même. Elle adopta cette attitude jusqu'au dernier instant de sa vie. Elle n'osait pleurer en présence de certaines de mes sœurs car elle me disait : « *Gilles, si je verse quelques larmes, le désarroi s'empare d'elles.* » En ma présence, elle se laissait aller et les ondines coulaient à flot continu de ses yeux profonds. C'était comme si son âme prenait une douche apaisante et rafraîchissante.

Puis un jour, elle me confia qu'il lui restait trois choses à accomplir avant de se présenter devant son Dieu à qui elle avait abandonné chaque moment de sa vie. Ma mère avait une foi inébranlable en cette Providence qui lui avait certes fait gagner son ciel. Je l'avais moi-même canonisée : « *SAINTE PAULA DE SAINT HENRI* ». Elle me demanda de l'aider à accomplir ses derniers gestes et s'assura de ma fidélité à ses secrets qui l'avaient habitée pendant de nombreuses années. Elle n'avait pu les partager avec aucun être humain jusqu'à ce moment. Je me suis empressé de favoriser les circonstances lui permettant de réaliser ses derniers vœux. J'en ai toujours conservé le secret. Elle avait passé le stade de la révolte et du deuil de sa propre mort et avait atteint cette période de sérénité que certains d'entre nous goûtent avant de mourir, lorsque notre âme est en paix avec elle-même et avec son Créateur.

J'ai beaucoup appris dans ces rencontres ultimes et trop rares. Maman me livrait les quelques doutes qui avaient envahi son esprit et me demandait parfois mon avis sur le bien-fondé de sa décision de s'être soumise, toute sa vie durant, à Dieu et à son Église, dans un geste d'abandon total.

Elle connaissait parfaitement tous les préceptes ecclésiastiques qu'elle avait toujours observés servilement. Sur la fin, elle questionnait la sagesse de l'église dans certaines de ses règles, comme celle touchant l'interdiction de manger de la viande le vendredi, sous peine de péché mortel. Elle me disait qu'elle trouvait étrange que l'église puisse un jour envoyer aux feux éternels quelqu'un pour la simple raison qu'il avait mangé de la viande un certain jour et qu'aujourd'hui, cette même église décrétait que cela ne constituait plus une cause de péché. Le célibat des prêtres lui causait aussi bien du souci. Elle prétendait que si les prêtres étaient mariés, ils comprendraient mieux les difficultés qui assaillent tout couple marié et le besoin de régulariser les naissances.

Mère avait eu vingt-deux grossesses et quinze enfants et elle a du subir les reproches d'un bon père franciscain qui avait constaté qu'elle n'était pas enceinte. C'était à la suite de l'une de ses sept fausses-couches ! Il lui avait dit que comme elle n'était pas enceinte, c'était assurément parce qu'elle se refusait à son mari. Elle causait ainsi la damnation éternelle pour elle-même et pour son mari. C'est incroyable la stupidité qui peut sortir d'un être qui se prend pour Dieu, surtout quand sa conception de Dieu est aussi macabre !

Je l'écoutais d'une oreille attentive sans jamais me permettre de commentaires qui auraient pu entretenir ses doutes ou en susciter d'autres, compte tenu du fait que je n'avais pas la foi. C'est auprès de ma mère que j'ai commencé à apprendre l'art de l'écoute respectueuse, sans jugement et surtout sans intervention. Tout être humain a droit à sa vérité et bien malheureux est celui qui tente de l'attaquer et de la modifier. Chaque vie constitue un mystère qui commande la déférence, le respect. Je suis convaincu que nous sommes tous dotés d'une troisième oreille qui nous permet une écoute déférente.

Puis, vint enfin le jour de sa délivrance. C'est arrivé au cours d'une nuit où on réveilla maman pour lui annoncer la naissance d'un de ses petits fils. Sa toute dernière sollicitude, qui retardait son départ, était consacrée à une de mes sœurs sur le point d'accoucher d'un premier enfant. Comme elle avait un certain âge, ma mère craignait qu'elle ait beaucoup de complications lors de l'accouchement. Après qu'on l'eût rassurée sur l'état de santé de ma sœur, maman s'envola vers sa véritable demeure, le Paradis.

* * *

Même les plus belles amitiés sont soumises aux règles du temps et, la plus notable, est celle qui vient couper le lien tissé entre deux êtres qui se sont accueillis sur la base de l'amour inconditionnel, lorsque la mort vient brutalement rappeler l'un d'eux à son port d'attache. J'ai vécu cette douloureuse expérience l'an dernier avec la mort de mon grand ami Roger R.

C'était un homme d'une extrême compassion. Je l'ai vu s'occuper avec tellement de tendresse et de prévenance de sa femme, Marcelle, atteinte de sclérose en plaques. Pendant une douzaine d'années il a fait le trajet en autobus et en métro, chaque jour, de Saint-Léonard à la Côte-des-Neiges, pour lui rendre visite au centre de service pour malades chroniques, situé en face de l'Oratoire Saint-Joseph. Cette randonnée lui prenait un longue heure dans les deux sens et son assiduité m'a constamment émerveillé. J'ai toujours éprouvé un insigne attrait pour cet ami en qui je voyais un second père.

À peu près une année avant de mourir nous avions abordé le sujet de la mort. Roger ne livrait pas aisément ses sentiments, mais je sentis quand même qu'il aimait m'entendre parler de mes intuitions sur le déroulement de la vie après la vie. Je lui avais prêté un livre sur ce thème intitulé : « Ma vie au paradis ». C'est en cachette qu'il le dévora, car lorsque j'allais le rencontrer, je trouvais ce volume dissimulé dans ses vêtements dans un grand bureau. Il ne voulait pas que ses enfants sachent qu'il lisait un tel bouquin, pour ne pas leur faire de peine, à la pensée que sa propre mort pouvait être prochaine. Il était lui-même très émotif et il évitait tout geste et toute parole qui auraient pu offenser une autre personne ou causer chez elle une inquiétude.

Sa maladie fut longue et la fin très épineuse. Je garde en mémoire le souvenir vif de ce jour où les autorités de l'hôpital l'avait transféré de la section des séjours temporaires à celle des personnes séniles, en lui faisant croire qu'il y serait bien mieux. On lui promettait qu'il y avait là plein de personnes intéressantes et d'activités qui viendraient meubler ses journées.

Lors de ma première visite à cet endroit, je fus d'abord surpris de constater que la très grande majorité des pensionnaires étaient atteints d'alzeimer et que les activités promises n'étaient qu'affichées au babillard, bien en vue pour les visiteurs, sans être jamais réalisées. Par exemple, on indiquait : « *ZOOTHÉRAPIE, LE MARDI ET LE JEUDI* ». Je n'ai jamais vu aucun animal dans l'hôpital hormis les moustiques. Et, où étaient passées les personnes « intéressantes » ? À moins que cette appellation n'ait été réservée au personnel traitant, souvent invisible.

Notre réveil fut très désagréable à tous deux. Le comble survint lorsque Roger me demanda un urinoir, car il n'avait plus de salle de toilette dans sa nouvelle chambre. L'infirmière m'informa que l'on n'avait pas de pissotière portative dans cette section, que l'on s'attendait à ce que les malades pissent dans les couches qu'on leur mettait. C'est de cette manière cruelle et humiliante que Roger apprit qu'il était devenu un « cas terminal » ! De nature combative et opiniâtre mon ami n'allait pas facilement baisser les bras. Pendant trois semaines il dévora les nombreux fruits et biscuits que je lui apportais, espérant y puiser l'énergie nécessaire à sa guérison. Mais ce fut peine perdue. Et un jour, je le surpris effondré, en larmes. Je l'ai serré dans mes bras et j'ai senti toute sa détresse. Quelques jours plus tard, il perdait la vue. Il entra par après dans une période de silence total où nous ne communiquions que par le fait qu'il ouvrait la bouche pour recevoir les petites cuillerées d'eau fraîche que je lui offrais régulièrement.

Je pensais à toutes les autres personnes dans sa section qui ne recevaient aucune visite, ni de leur famille ni du personnel infirmier qui avait l'air débordé. Quelle désolation ! Si les enfants devenus adultes réalisaient à quel point les gens âgés sont laissés pour compte dans les hôpitaux, ils feraient tout pour que leurs parents vivent la dernière phase de leur vie auprès d'eux à la maison, entourés d'affection, de tendresse, de ce réconfort si essentiel dans cette aventure troublante. Roger était favorisé. Il recevait les visites de sa fille et de son garçon presque chaque jour. Je considérais que ce n'était que « *LA LOI DU RETOUR* » qui s'appliquait ainsi à cet homme qui s'était si bien acquitté de ses devoirs d'époux auprès de sa conjointe, Marcelle.

Roger avait cessé de consommer toute forme de nourriture depuis une semaine. Sa fille me dit que les médecins lui avait mentionné qu'il y avait quelque chose qui le retenait à la vie. Elle me dit la confiance que son père avait en moi et qu'il écouterait sûrement une suggestion de ma part pour lâcher prise. C'est le cœur gros que j'acceptai cette mission. Le lendemain, lors de ma visite quotidienne, je fus surpris de l'accueil de Roger. Au son de ma voix, il ouvrit les yeux qu'il tenait fermés depuis une semaine comme pour ne pas voir la mort venir. J'en fus bouleversé. J'avais l'impression de contempler le ciel tout entier à travers ses yeux bleus qui se faisaient si grands comme pour capter un dernier regard sur notre monde. Je lui dit, avec émotion : « *Roger, tu as tout donné ce que tu avais à offrir dans ta vie. Je te remercie, je te bénis et je t'aime. Tu as droit au repos. Ton épouse Marcelle est déjà au ciel. Ne la déçois pas car elle t'attend pour célébrer votre anniversaire de mariage qui aura lieu demain.* »

Il ouvrit les yeux encore plus grands et deux larmes coulèrent sur ses joues. Je n'oublierai jamais ce regard rempli d'une pure bonté. Il mourut au cours de l'après-midi en paix et tout en douceur.

À mon retour à la maison, j'ai consigné cette réflexion :

> « Les êtres et les biens ne nous sont que prêtés. Au moment de l'après-vie, on ne peut apporter que nos souvenirs. Et, les rappels les plus doux, sont ceux revêtus de l'amour inconditionnel, où le sentiment de possession n'est pas venu éteindre... LA LUMIÈRE DU BONHEUR. »

* * *

L'an dernier mon ami Léon L., a du subir une ablation des intestins. On lui installa un sac sur le côté de l'abdomen pour ses évacuations. Ce petit homme avait un courage de géant. Jamais il ne s'est plaint de cette opération et de ses fâcheuses conséquences. Il était tout simplement heureux de vivre et il recommença à faire quelques réparations d'automobiles puisque c'était son métier. Certains ont abusé de lui, car il ne pouvait jamais refuser de rendre service à quelqu'un.

Quelques mois plus tard, le cancer attaquait son foie. Il dut se soumettre à des sessions de chimiothérapie qui furent tout aussi inefficaces que pénibles. Toujours est-il que les sessions de traitement furent interrompues rapidement dans le cas de Léon. Il en conclut qu'il était sur la voie de la guérison. Il conserva cette illusion pendant un mois. Je me souviens que nous avions été nous prélasser sur le bord du fleuve et mon ami, dans un optimisme débordant, m'avait dit : « *Gilles ! Comme je me sens bien ! Je respire le bonheur...* » Je voulais m'associer à sa joie mais c'était très difficile de le faire parce que son épouse m'avait averti que Léon n'en avait plus que pour quelques semaines.

Les événements se précipitèrent par après. Sa condition devint très pénible et il connut d'immenses enflures aux pieds. Il protesta auprès de son médecin, en lui disant que les médicaments qu'il lui faisait prendre étaient sûrement à l'origine de ce phénomène. Le médecin l'informa de sa véritable condition médicale. Léon apprit alors qu'il ne lui restait que quelques semaines à vivre. Il m'annonça la nouvelle en pleurant à chaudes larmes. Ce furent ses dernières, car il se mit en frais de vivre pleinement les derniers jours de sa vie.

Il m'arrivait de lui demander comment il se faisait qu'il ne se plaignait jamais. Il me fit pour réponse qu'aucune plainte ne saurait alléger ses douleurs et que, de toute façon, Dieu lui donnait le courage d'accepter sa situation qu'il ne pouvait changer. Le courage né d'une cause désespérée peut souvent permettre des attitudes et des actes héroïques.

Nous avons rencontré tous les amis qu'il estimait particulièrement. À chaque rencontre il les surprenait par sa bonne humeur et ses taquineries. Je me souviens qu'il s'approcha d'un ami italien à qui il annonça qu'il allait mourir dans environ une semaine. Il ajouta qu'il tenait à le rencontrer une dernière fois avant de partir, pour le remercier et lui dire qu'il l'aimait profondément. Ce dernier est demeuré bouche bée et il l'embrassa en pleurant abondamment. Il devint timide à force d'émotion. Et c'était bien ainsi, car on est souvent si maladroit en présence d'une personne qui va mourir, alors que tout ce dont la personne a besoin à ce moment-là, est d'une présence bienveillante et chaleureuse.

Mon ami Maurice D. me disait récemment : « *Quand tu perds un ami que tu as aimé, c'est un peu de ton éternité qui s'envole avec lui.* » J'ai bien apprécié cette pensée transcendante qui m'a inspiré la réflexion suivante :

L'ÉTERNEL AMOUR

Quand on a aimé une personne
Qui nous quitte
Pour l'autre dimension.
Dans son intemporel gîte,
Elle édifie notre maison.

Avec elle une partie de nous pénètre
Dans l'éternité où elle garde une fenêtre,
Pour chaque jour nous accueillir
Et nous aider à vieillir,
Jusqu'au moment de notre propre départ
Qui vient sur le tard.

Quand on aime un enfant, une femme, un mari,
Une mère, un papa ou un ami,
Tout notre être touche à l'infini.

2 La peur de la mort

Notre culture a souvent entretenu des mythes au sujet de la mort qui avaient le don de nous énerver, de nous maintenir en déséquilibre émotif. J'ai encore en mémoire ces images horribles que l'on a imposées à mes yeux d'enfant. Dès ma première journée de classe, à l'âge de six ans, je fus saisi de peur, bouleversé, chaviré et atterré par une reproduction du jugement dernier qui se trouvait bien en vue, à l'avant de la classe.

La maîtresse d'école nous en fit la description avec beaucoup de détails effrayants. Elle insista évidemment sur la section des portes de l'enfer où l'on apercevait une horloge dont le tic-tac était verbal et qui disait « *TOUJOURS, JAMAIS, TOUJOURS, JAMAIS...* » et ce pour l'éternité. Si l'un de nous aboutissait en enfer à cause de tous ses péchés, ses chairs y seraient *toujours* attaquées par des flammes éternelles et *jamais* il ne pourrait sortir de cet enfer. Des cris d'horreur sortirent de nos bouches enfantines et notre institutrice appréciait l'effet qu'elle provoquait, en se frottant les mains.

Quelle ineptie ! Il y avait aussi tous ces diables des ténèbres qui crachaient le feu et qui enfourchaient les derniers arrivés. J'ignorais évidemment ce qu'était le péché et j'ai supplié Dieu de venir me chercher sur le champ. Je ne voulais pas vivre une seconde de plus, de peur de commettre, par inadvertance, ce fameux péché qui me vaudrait les châtiments perpétuels. Ma vocation à la sainteté fut soudaine et subite et je vous assure que je fus un enfant docile, car j'avais en face de moi, pendant toute cette année, cette maîtresse que je prenais pour une représentante de Satan, responsable de son recrutement.

On a ainsi violé notre innocence et surtout notre image de Dieu qui jusque là était sublime. Qui oserait affronter la mort dans de telles circonstances et qui aurait la hardiesse de se présenter devant son Créateur ? Car en plus de cette évocation terrifiante, nous devions subir aussi une autre image sainte, pas plus rassurante. En effet, cette illustration montrait un immense œil de Dieu à l'intérieur d'un triangle, entouré d'un nuage gris de type cumulo-nimbus. Et, la maîtresse pointait ce tableau à chaque fois que l'un d'entre nous était dissipé pour nous crier par la tête : « *L'œil de Dieu vous guette !* ». Cela avait le don de geler en un instant tous nos élans naturels, toute spontanéité. C'est ainsi que l'on faisait la discipline aux enfants de l'époque, avec évidemment un avant-goût des délices de l'enfer, administrés avec des coups de règles sur les jointures des doigts, à chaque erreur.

Mais, comment pourrais-je en vouloir aujourd'hui à cette pauvre femme qui ne faisait que transmettre ce qu'elle avait elle-même reçu de l'impérieux ministère de l'instruction publique et des retraites fermées qu'elle devait fréquenter à chaque année. Du haut de la chaire, pour faire plus dramatique et pour nous faire sentir notre condition d'êtres inférieurs et fragiles, elle avait si souvent entendu les prédicateurs spécialisés dans les peurs collectives. Ces derniers poursuivaient le même but soit celui d'apeurer les masses pour mieux les diriger, les subjuguer par des histoires sur la damnation éternelle. Seule une naïveté ignorante et temporaire pouvait tolérer de tels discours. Il semble que le thème majeur de chaque sermon dans ces retraites était : « *À soir on fait peur au monde !* »

Quand on pense que toute la génération actuelle de personnes âgées qui décèdent a subi une telle éducation, on ne peut que comprendre les anxiétés qu'entretiennent ces gens face à la mort. Tous ces mythes font partie de notre conscience collective et nul ne peut prétendre, avec certitude, qu'ils en ont été délogés complètement.

De nos jours il semble que l'on s'acharne encore à faire de la mort l'événement le plus malheureux de nos vies. Les médecins se sont transformés en juges de « cour terminale ». Ils retardent jusqu'à la fin la sentence de mort qu'il vont toujours finir par infliger à leurs patients. On entretient de faux espoirs chez certains, en leur suggérant une opération futile. On les fait passer à travers des traitements très éprouvants et souvent tout à fait inutiles, sinon pour le progrès de la science, comme si la peine de mort n'était pas suffisante !

Lorsque le médecin apprit à ma mère qu'elle était atteinte d'un cancer aux poumons, il s'empressa de lui suggérer l'opération en lui disant qu'elle avait 70% de chances de s'en tirer. Maman m'en avait parlé et je lui avais dit que c'était la phrase magique des médecins d'aujourd'hui qui leur permettait de *pratiquer* toutes leurs opérations. J'ajoutai que si elle avait espoir de guérir, il lui revenait de prendre la décision d'accepter l'opération.

Évidemment, on n'avait que charcuté la pauvre poitrine de ma mère pour lui dire après l'opération qu'on l'avait tout simplement refermée, sans aucune ablation, étant donné le progrès du cancer. La métastase avait trop progressé et tout traitement devenait superflu. Je me suis laissé dire que lorsqu'il y a métastase importante, seule une personne sur un million peut s'en tirer. Alors pourquoi ajouter aux souffrances d'une personne par ces opérations que l'on peut certes éviter, à moins que certains spécialistes soient tellement imbus de leur projet de recherche qu'ils sont totalement indifférents du sort de leurs patients.

Maman m'avait dit qu'elle avait reçu cette nouvelle comme une véritable trahison et comme une sentence de mort sans appel. C'était comme si le médecin s'était transformé en juge pour lui dire : « *Madame ! Vous avez une métastase. Vous n'avez plus votre place parmi les humains. Vous êtes condamnée à mort, qui sera exécutée dans environ quatre-vingt-dix jours !* » Elle a donc du subir, en plus des douleurs de la maladie qui la terrassait, celles d'un choc opératoire et d'une incision considérable *pratiquée* sur son corps et qui n'aurait jamais la possibilité de guérir avant sa mort. L'opération ne semble avoir eu comme résultat que d'accélérer le processus de la multiplication des cellules cancéreuses et de lui enlever ainsi son droit de déterminer le moment précis où elle déciderait de quitter ce monde.

* * *

Les souffrances physiques que doivent souvent subir les personnes à l'article de la mort exigent beaucoup de résignation et de longanimité quand le mal dure, se prolonge. Quel courage il faut alors déployer pour résister à un malheur devant lequel il n'y a aucune issue. Si on a eu l'occasion de se trouver en présence d'une telle douleur, nous demeurons totalement impuissants et incapables d'alléger ces souffrances physiques. Heureusement, les drogues modernes permettent de soulager partiellement ces tourments.

Après la période de révolte libératrice, à l'annonce de notre terme, vient celle de la confusion, de l'embarras. En effet, mes parents et amis décédés ont tous connu d'abord la colère et l'indignation. La mort frappe à l'improviste même pour les personnes affligées de graves maladies incurables et terminales.

Ils ne pouvaient se résoudre à l'idée qu'ils avaient atteint le terme de leur vie. Ils avaient l'impression que leur projet de vie était inachevé, incomplet. Un peu comme un malencontreux incident qui met fin à une activité où toutes nos énergies sont centrées et notre être complètement abandonné. On doit arrêter, à contre cœur, ce projet vital qui nous semblait si remarquable. Le sentiment de l'impromptu s'empare de nous alors que la symphonie de notre trépas semble tellement improvisée. Ce n'est absolument pas de cette façon qu'on croyait devoir un jour mourir. « *Et pourquoi moi ? Et... si tôt !* »

Nous en venons alors aux souffrances morales qui sont sans doute pires que les autres que l'on peut contrôler à coup de drogues, dont l'intensité est régulièrement augmentée jusqu'au point où le cœur flanche d'une « overdose ». J'ai déjà entendu un membre du personnel hospitalier dire en présence d'un malade, dont on ne pouvait soupçonner la capacité d'entendre et de comprendre à cause de son état comateux, un discours insensible et irrespectueux comme : « *Vous savez, il y a longtemps que cette personne devrait être morte ; son cœur est sans doute trop solide.* » C'est le genre de commentaire que le médecin traitant ma mère avait fait à une de mes sœurs, lorsqu'il lui avait dit de manière cavalière et si peu subtile : « *Votre mère, il y a longtemps qu'elle devrait être morte.* »

Voilà certes une des dernières souffrances morales qui s'inscrit en fin de liste du calvaire personnel de chaque personne. Au début, c'est la colère à l'annonce du verdict. Puis, le malade passe à travers une série de périodes d'angoisses successives. On se demande si on sera un fardeau, si on sera accompagné ou si on sera seul au moment de la mort. Serons-nous abandonnés, laissés pour compte ? Ne sommes-nous pas, à un certain moment qu'un numéro ; la chambre 329 ! Comment vais-je pouvoir supporter toutes ces douleurs et ces souffrances physiques ? Est-ce que la panique, la folie va s'emparer de moi. Est-ce que je perdrai ma dignité ?

C'est le genre de questions, entre autres, que mon bon ami Gérard A., un religieux sur la fin de sa vie, se posait lors de nos nombreuses rencontres avant son décès. Gérard était un religieux d'une rare culture qui avait consacré toute sa vie à l'éducation des enfants et qui se sentait abandonné. Il me disait souvent à quel point il craignait la mort qu'il savait inévitable.

Notre société n'a malheureusement aucune reconnaissance pour tous ces religieux et toutes ces religieuses qui ont donné leur vie au service de leur prochain. On rejette du revers de la main leur consécration et leur désintéressement total alors que le Québec vivait une période de grande pauvreté, à cause de quelques incidents malheureux impliquant une minorité de religieux. On a oublié toutes ces vies de sacrifices et d'abnégation qui ont rendu un fier service à la nation. Ils sont devenus les boucs émissaires de la société. Les communautés religieuses font partie de notre patrimoine et leur contribution au développement de nos institutions constitue une apogée de notre histoire de dévouement. Combien nous coûtent les services de santé et d'éducation depuis que ces valeureux serviteurs ont été tassés à la faveur de personnel laïque ? Des milliards ! Et elles ne faisaient jamais la grève du zèle, elles. Elles n'ont jamais pris les malades en otages pour augmenter leur pouvoir de négociation.

Pour ma part, je crois que les incidents d'abus d'enfants que l'on reproche à certains religieux dans le passé, n'ont jamais été aussi nombreux qu'aujourd'hui même, et les religieux n'ont plus la responsabilité de leur éducation. Combien de fois ai-je entendu des personnes raconter les sévices infligés par des parents, incluant des cas si nombreux d'inceste et de violence corporelle dont sont coupables des pères, des mères, des oncles et des tantes, quand ce ne sont pas des grands-pères ou encore tout simplement des éducateurs ou des responsables de loisirs !

Je me souviens du fameux feu qui a détruit, dans les années cinquante, l'hospice Sainte Cunégonde, où la plupart des résidents avaient été sauvés grâce au courage des religieuses, alors que la majorité d'entre elles avaient péri dans les flammes. J'ai assisté, impuissant, puisque j'avais à peine onze ans, aux nombreux sauvetages faits par les religieuses qui lançaient par dessus les balcons les vieillards, aux pompiers qui les recevaient dans leur immense toile de sauvetage. J'en ai vu plusieurs retourner à l'intérieur des murs, le costume en flamme, pour continuer leurs actes héroïques. Il y avait eu plus de quatre-vingt personnes qui avaient perdu la vie dans ce sinistre, presque toutes des religieuses.

Et, c'est souvent dans une totale solitude, dans un cruel abandon, que les religieux et les religieuses qui nous restent, mourront. On leur impose l'une des pires conditions qu'un être humain peut vivre. Et pourtant, ils demandent seulement un peu de respect et de dignité. Dans les derniers moments de leur vie, ils réagissent de la même manière que toute autre personne. La moindre marque de tendresse est d'un tel réconfort et ceux qui souffrent d'alzeimer n'ont pas oublié les effets bienfaisant de l'affection. Ils se souviennent que la sympathie et la tendresse sont associées à la vie.

Tout comme ces bébés, nés avant terme, que des pédiatres américains avaient décidé de simplement toucher régulièrement au cours d'une expérience pour voir si un contact tactile, une caresse, pouvait avoir une influence sur leur évolution. Ils constatèrent que ces touchers délicats avaient permis une accélération de leur prise de poids de l'ordre de 47% par rapport aux enfants qui ne reçurent pas les mêmes attentions. Ils auraient pu s'éviter cette expérience s'ils avaient simplement consulté n'importe quelle mère qui leur aurait signifié qu'un bébé a besoin de tendresse et de caresses pour s'épanouir. Les psychologues, qui sont normalement un peu plus humains dans leurs techniques thérapeutiques, ont développé un nouvel art qu'ils nomment « l'haptonomie » (approche tactile affective). Marie de Hennezel en fait une bonne description dans son volume intitulé : « *La mort intime* », publié chez France Loisirs.

Nous sommes des êtres d'amour créés par un créateur dont la marque de commerce est l'amour. On ne doit dès lors pas se surprendre que c'est le sentiment le plus important aux premiers instants de notre vie tout comme aux dernières heures de notre périple sur cette terre où le geste le plus réconfortant est celui inspiré par la tendresse et la câlinerie.

Je comprend alors les craintes de Gérard face à la mort. De plus, il se posait les mêmes questions et les mêmes doutes en face du phénomène de la mort que toute autre personne de sa génération. *« Qu'advient-il de nous lorsque nous mourons ? Est-ce le néant ? Personne n'est revenu nous dire comment cela se passe. Et le jugement dernier ? Quand aura-t-il lieu ? Est-ce que j'ai fait ce qu'il fallait pour me mériter le ciel où irais-je en enfer pour brûler pendant l'éternité ? »* Et finalement, : « *Comment vais-je être traité, moi religieux, par le personnel médical de l'hôpital où je serai à l'article de la mort.* » Heureusement, Gérard est décédé subitement, sans avoir à passer par ce genre d'institutions.

> *« Si la maladie est l'affaire des médecins, la mort est celle du lama ou du prêtre, pas du médecin. Et aujourd'hui, la mort est devenue l'affaire des médecins en attendant que ce soit celle des chercheurs scientifiques. Science, science profane et inhu-*

maine, que de crimes on va commettre en ton nom ! J'ai vu mourir autour de moi des parents et j'ai entendu discuter les médecins, parfois avec véhémence, des mesures qui devaient être prises ou non pour prolonger une existence de deux, trois ou quatre jours. Quant à l'idée qu'il y a un art de mourir, une manière consciente, juste, de mourir, il n'en était pas question. C'est tragique mais nos indignations n'apporteront aucune réponse positive. » **(Arnaud DESJARDINS, *Pour une mort sans peur,* page 62.)**

Un de mes amis me raconta que le chirurgien qui avait pratiqué une opération sur son père, avait fait une crise de frustration quand il avait constaté que l'on n'avait pas prolongé artificiellement la vie de son père. Il avait demandé de le maintenir en vie pendant ses deux semaines de vacances, pour lui permettre de réaliser une expérience. À son retour de congé il avait enguirlandé le personnel médical qui n'avait pas respecté son macabre projet.

On ne peut se surprendre de l'engouement des gens pour les médecines parallèles considérées plus douces, plus humaines. Près du tiers des citoyens ont consulté, au moins une fois dans leur vie, un chiropraticien, 12% un acupuncteur, 11% un massothérapeuthe, 7% un homéopathe, 6% un naturopathe. Environ une personne sur deux a une expérience des thérapies alternatives surtout pour les maux de dos, les maladies des os ou des articulations, les problèmes musculaires et les maux de tête. J'espère que le collège des médecins ne lira pas ces statistiques car le nombre de clients perdus pourrait relancer une chasse aux sorcières pour éliminer toutes ces médecines énergétiques.

* * *

Un bon copain, à qui je racontais mon projet de livre sur le thème de la mort, m'a spontanément partagé ses souvenirs des derniers moments tragiques de la vie de sa mère dont l'agonie fut très laborieuse. En effet, sa mère ne voulait absolument pas quitter ce monde où elle s'était elle-même enchaînée. Au cours de sa vie, ses valeurs principales ne furent que matérielles. Elle était certaine d'y trouver le pouvoir, le triomphe, le bien-être suprême. Sa maison fut remplie de toutes ces acquisitions qui donnent de la classe à l'hôtesse parfaite.

Elle rayonnait parmi ses collections d'argenterie, de verrerie fameuse, de services de vaisselles importés d'Angleterre et de France et de faïences que seuls les gens très riches peuvent exhiber. D'ailleurs, elle possédait évidemment un immense vaisselier, fait sur mesure, où étaient exposés ses innombrables trésors à l'admiration des nombreux convives et visiteurs qu'elle ne se lassait jamais d'accueillir.

On n'acquière pas les symboles de la richesse pour les dissimuler mais bien pour éblouir la galerie et susciter une admiration sans bornes, en espérant être reconnus parmi les gens riches et célèbres et surtout importants. Et, elle devait sûrement avoir dans une de ses vastes chambres, un bureau à tiroirs, nommé sans prétention : « Bonheur-du-jour » ; ce meuble réservé dans un autre âge aux nobles personnages de la Cour royale et aujourd'hui, aux propriétaires de grands manoirs. Il fallait bien dissimuler le bonheur que l'on peut provoquer sur l'heure. Il engendre bien des heurts lorsqu'il éclate à l'extérieur. L'euphorie provoquée par la prospérité disparaît quand elle n'est pas partagée. Et pourtant, celui qui s'unit à l'Être qui a tout créé n'a plus besoin de posséder.

La maladie progressait constamment et laissait ses marques. La mère de mon ami a été en révolte et en déni jusqu'à son dernier souffle. Elle a résisté jusqu'à la fin, parce qu'elle ne voulait pas quitter ce monde matériel qui constituait alors le but unique de sa vie. Et mon ami d'ajouter, qu'au moment de rendre un dernier soupir qu'elle arrachait de toutes ses forces à la vie, il a cru voir les yeux d'un démon dans le regard de sa mère. Quelle fin horrible !

On meurt comme on a vécu, dit le sage. Dans nos derniers moments, nos obsessions nous retiennent, que ce soit la haine, l'avarice ou toute autre forme de dépendances dont on aurait pu se libérer et qui maintenant nous poursuivent jusque dans la tombe. Au moment où moi-même j'avais limité la condition humaine à une seule dimension matérialiste, je détestais la mort. Mais, j'enviais, dans le fond, ceux qui croyaient en un au-delà. Je réalise que la pire chose qui pourrait m'arriver aujourd'hui serait de perdre cet espoir que me donne le cheminement spirituel sur lequel je me suis engagé depuis quelques années.

Alice A. Bailey a dans ses innombrables écrits tellement bien traité du phénomène de la mort. On retrouve dans le volume « *Réfléchissez-y* », les différentes formes de peurs qui assaillent l'être humain quand il pense au trépas. Il serait profitable de les énumérer ici quitte à les traiter séparément et de manière informelle, tout au cours de notre essai.

> *« La peur domine beaucoup de situations et jette souvent son ombre sur les moments heureux de la*

vie. La peur réduit l'homme à un atome de vie sensible, timide et épouvanté devant l'énormité des problèmes de l'existence, conscient de son insuffisance, comme homme, à faire face à toutes les situations, incapable de transcender ses angoisses et ses doutes pour entrer en possession de son héritage de liberté et de vie...

La peur de la mort est fondée sur :

a) *La terreur du processus de séparation dans l'acte même de mourir.*

b) *L'horreur de l'inconnu et de l'indéfinissable.*

c) *Le doute de l'immortalité.*

d) *La tristesse de laisser derrière soi les êtres chers ou d'être laissés derrière eux.*

e) *Les anciennes réactions à des morts violentes dans le passé, profondément ancrées dans le subconscient.*

f) *L'attachement à la vie de la forme avec laquelle la conscience s'était d'abord identifiée.*

g) *De faux enseignements sur le paradis et l'enfer, deux perspectives également déplaisantes pour certains types de personnes. »*
(Alice A. BAILEY,Op. cité, p.507 et 508)

Je suis confiant que chacun d'entre nous, qui veut bien s'en donner la peine peut se libérer de ses peurs face à la mort. Il y a certes un art de mourir et mourir, ça s'apprend, comme celui de vivre.

3 L'ART DE MOURIR

L'art est l'expression de beauté qui confirme notre réussite. Nous avons en nous-mêmes toutes les aptitudes naturelles et innées qui nous permettent, après un long apprentissage, de devenir les virtuoses et les maîtres de notre chant du cygne. Car la mort est la dernière œuvre de l'homme qui est parvenu à sa symphonie inachevée, dont les dernières mesures retentiront dans un univers où la musique est remplie de couleurs magistrales. Elle est aussi le tremplin sur lequel il prend son élan vers une autre dimension où les vibrations sont plus pures et plus spontanées. L'homme n'y est plus soumis aux contraintes du temps et de l'espace. Il est finalement affranchi et libre. Cette ultime performance peut être géniale, un véritable chef-d'œuvre, tout comme elle peut être notre échec le plus retentissant. Il est déplorable de voir tant de personnes rater leur sortie tout simplement par manque de préparation.

Au début du siècle, l'espérance de vie était de quarante-sept (47) ans. Elle a fait un bon prodigieux puisqu'elle s'établit aujourd'hui à soixante-seize (76) ans. De nos jours, tout comme en 1900, nous ne consacrons pas plus de temps à préparer notre mort, l'acte ultime de notre vie terrestre. Les enfants qui naissent en ce moment auront pour leur part, une espérance de vie de cent (100) ans ! Quel héritage sommes-nous prêts à leur laisser pour qu'ils puissent vivre pleinement *tout* leur mandat de vie qui commence avec le moment où ils sont des « nouveau-nés », jusqu'au jour, où comme nous tous, ils seront des « nouveau-morts ». Dans à peine 76 ans, soit en 2072, la plupart des êtres humains, habitant aujourd'hui notre planète, l'auront quittée. Cela fait plus de 4 milliards d'individus qui auront franchi le seuil de la mort. La mort est le phénomène le plus naturel qui soit, tout comme la vie ! Et la mort, c'est plein de vie dedans.

La manière la plus sûre de se préparer à notre mort est probablement celle où à un moment de notre vie nous procédons à l'évacuation de nos peurs, de nos appréhensions. Le décès d'un être cher peut provoquer une réflexion bénéfique. Toutefois, nous n'avons pas besoin d'attendre ces circonstances chargées d'émotion pour amorcer notre examen. Elles risquent de perturber notre propre prise de conscience face à la mort.

Il est préférable d'entreprendre une telle thérapie au moment où nous nous sentons le mieux, où la joie de vivre nous habite. Certains pourront avoir besoin d'aide professionnelle pour effectuer leur émancipation. Toutefois, ce processus peut très bien se faire sans ce genre de support et sérieusement, à la condition cependant, que nous soyons accompagnés de Dieu dans notre démarche.

Nous avons tous à l'intérieur de nous « une petite voix » qui nous lie à la Sagesse universelle que l'on peut contacter par la méditation régulière. Elle ne nous fait jamais faux bond lorsque nous la consultons avec une rigoureuse honnêteté. C'est cette Sagesse qui me permet de « *re-connaître* » la beauté de la vérité dans le texte d'un bouquin que j'apprécie, dans un discours où le conférencier m'apparaît intelligent et sage, dans l'œuvre d'un artiste qui sait provoquer un émoi doux et profond. En fait, je ne saurais « *re-connaître* » un chef-d'œuvre, un génie, s'il n'existait pas déjà en moi. Le monde extérieur ne fait que susciter l'émergence de cette Sagesse universelle à laquelle nous avons tous accès.

Dans son volume déjà cité, Arnaud Desjardins décrit très bien ce cheminement libérateur. Il traite des différentes peurs qui nous assaillent au cours de notre vie et de la manière de nous en libérer.

Nous expérimentons différentes sortes de peurs. Tout d'abord chacun d'entre nous a vécu ce genre d'expérience où la crainte nous protège, où notre sens de sécurité, *notre instinct de conservation,* nous amène à nous abstenir devant un danger réel. Par exemple, la présence d'un fauve déclenche chez moi automatiquement un réflexe de fuite pour protéger mon existence, mon intégrité physique. Ce genre de peur nous est toujours bénéfique. Si nous ne l'accueillons pas positivement nous risquons de commettre des imprudences fatales. Nous pouvons comprendre que : « *La crainte est le commencement de la sagesse* ».

Parmi les peurs émotionnelles, il y a celles « *dont nous comprenons la cause apparente* » (Arnaud DESJARDINS, op. Cité page.36). Vous êtes sur une route en automobile et vous sentez que vos freins vont manquer. Votre garagiste vous a déjà averti de cette condition précaire, mais vous avez négligé de les faire réparer. « Ils vont vous lâcher n'importe quand », vous a-t-il dit et il semble bien que ce soit maintenant ! Vous avez la frousse et craignez de ne pouvoir freiner.

Nous pouvons facilement éliminer ce genre de craintes par une attitude préventive qui permet d'éviter ces situations énervantes. Mais, certains aiment vivre dangereusement et faire des clins d'œil aux périls. Ils aiment prendre des risques et sont téméraires. Ils sont souvent responsables de nombreux accidents qui pourraient être évités. Si tu veux te casser le cou, libre à toi. Mais laisse celui des autres intact !

« *Et il y a les peurs qui vous assaillent mais qui ne correspondent à aucune situation précise.* » (Arnaud DESJARDINS, op. Cité, page 36) Par exemple, la peur de la maladie, de la mort d'un être cher présentement en santé. Howard Hughes, ce fameux milliardaire américain, avait une nature phobique. Il craignait tellement la maladie qu'il obligeait son personnel à porter des gants blancs en sa présence, pour ne pas lui communiquer de microbes.

Par ailleurs, que penser de tous ces prophètes de malheur qui suscitent ce genre de peur émotionnelle en nous annonçant régulièrement de grandes calamités, des cataclysmes, des guerres et des fléaux quand ce n'est pas tout simplement la fin du monde. Nous approchons la fin du vingtième siècle et les fins de siècle sont propices à l'éclosion de théories apocalyptiques les plus farfelues que de nouvelles sectes en mal de pouvoir et surtout de profit matériel, vont véhiculer à travers tous les moyens de communication. Nous avons déjà connu les désastres, les suicides et meurtres collectifs ordonnés par les gourous de ces groupuscules dégénérés et nous n'avons pas encore atteint l'an 2000 ! Une grande vigilance est de mise en ces temps troubles et de grande naïveté.

Nous héritons de nombreuses peurs de la part des adultes responsables de notre première éducation. Dès notre naissance, certains prétendent même avant, pendant la grossesse, nous épousons les craintes de notre mère. Elles pénètrent en nous comme par osmose pendant cette période allant jusqu'à l'âge de six ans, où nous sommes si réceptifs à toutes les influences extérieures venant principalement de nos parents. Aujourd'hui, il faut ajouter l'influence de la télévision qu'un enfant commence à subir dès son plus jeune âge. Par après, la société se charge de notre initiation à toutes ses appréhensions telles celles relatives à la réputation, au jugement d'autrui, à l'attaque, au vol, à l'échec, au statut social, etc.

Pour ma part, je puis identifier deux peurs qui m'ont accablé au cours de la très grande partie de ma vie. Ce sont les phobies des hauteurs et des accidents de voiture. Elles remontent à mon enfance où j'ai entendu si souvent ma mère se plaindre de son vertige. Par ailleurs, quand nous étions en randonnée automobile, elle harcelait mon père avec sa peur de la vitesse. Il ne devait jamais dépasser les 70 kilomètres/heure sinon ma mère commençait sa litanie : « *Delphis ! Fais attention ! Tu vas bien trop vite ! On va sûrement avoir un accident ! Pense aux enfants. S'il fallait qu'ils soient blessés...* » Et c'est ainsi que pendant plus de cinquante ans, j'ai moi-même éprouvé la phobie des hauteurs et de la vitesse en automobile.

Il est possible, avec le temps, de se libérer de ce genre de frayeurs. Toutefois, une bonne thérapie aurait pu m’en libérer plus rapidement. Une des techniques utilisées a trait à la régression où nous vivons à nouveau les moments où ces peurs se sont installées et ce, à plusieurs reprises, jusqu’à ce que ces événements ne deviennent que des souvenirs dépourvus de toute charge émotive.

Il y a d’autre part, certaines peurs inexplicables soit par la référence à l’éducation ou à tout autre incident de notre vie actuelle. Elle semblent prendre racine dans une autre réalité lointaine, comme peut être celle d’une incarnation antérieure où nous aurions subi une mort violente. C’est ainsi que l’on peut expliquer certaines peurs.

Je connais des personnes qui entretiennent des appréhensions terribles quand elles pensent à la mort. Elles ne peuvent aucunement les expliquer. Tel cet homme âgé de quatre-vingt-un ans qui ne veut pas entendre parler de l’incinération. Il craint qu’on le brûle alors qu’il ne serait pas mort, qu’il serait dans un coma qui ferait croire au médecin qu’il est mort, alors que ce ne serait pas le cas. Peut-être a-t-il connu ce genre de mort dans une autre vie et qu’il continue d’entretenir ce souvenir passé. Il ne réalise pas, qu’avec les progrès de la médecine, ces cas devraient être complètement éliminés.

Ce qu’il a aussi pu vivre, dans une autre incarnation, c’est tout simplement le phénomène de la « décorporation », de la sortie de son corps, puisqu’il était de fait décédé. Se voyant toujours vivant, il a pu croire que son corps l’était aussi et il a eu beaucoup de difficulté à réaliser qu’il était mort comme nous le verrons dans un chapitre plus loin.

Les très jeunes enfants qui n’ont pas reçu d’influence négative de la part de leurs parents ou d’incarnations antérieures, n’ont aucune crainte de la mort. Ils n’ont pas la notion du temps et de l'espace et ils considèrent les morts en absence temporaire. Comme cette jeune enfant qui consolait son père qui venait de perdre sa mère en lui disant : « *Papa ! pourquoi pleures-tu ? Ta maman, tu sais elle est partie en voyage. C'est certain que tu vas la revoir.* » Ou encore ce petit garçon de trois ans qui avait sans doute vu la moitié du corps de son père dans son cercueil et qui avait dit à sa grande sœur : « *Papa, ils lui ont coupé les jambes et il s'en va s'en faire poser des nouvelles. On va le revoir plus tard.* »

Les commentaires les plus savoureux venant de la bouche d'un enfant qui m'ont tellement ému, me viennent de la petite Anna dans ce volume délectable intitulé *Anna et Mister God* de FYNN :

> « *La mort, c'est le repos, poursuivit-elle, quand tu es mort, tu peux regarder en arrière, et tout remettre en ordre. Être mort, ça n'était pas une histoire. Mourir pouvait en être une, mais pas si on avait vraiment vécu. Pour mourir, il fallait s'être préparé, et la seule préparation à la mort, c'était de vivre vraiment.* » (page 154)

Les enfants sont peut être aptes à voir au delà du temps et à considérer la mort dans son contexte réel, soit simplement celui d'une étape parmi tant d'autres. J'aimerais bien les écouter davantage sur ce sujet.

Et finalement, il y a ceux qui craignent de se retrouver face à face avec Dieu, en qui ils voient le grand Juge qui viendra séparer les bons des méchants, devant qui ils croient devoir se présenter immédiatement après leur mort, pour se voir décerner la sentence du ciel, du purgatoire ou de l'enfer. Ils se font une image tellement négative de Dieu qu'ils tremblent à la pensée de se présenter devant Lui, de mourir. Qui n'a pas quelques reproches à se faire pour les erreurs de sa vie, pour les manquements plus ou moins graves provoqués par ses défauts de caractère, pour ses déficiences. À propos de ce fameux « jugement dernier », je vous propose la réflexion suivante.

LE JUGEMENT DERNIER

La mort éminente de ton corps
Est toujours prématurée.
Elle donne à ton âme son essor
Et lui rend sa liberté.
Dépouillé de ton manteau de chair,
Tu pénètres alors le tunnel
Qui te mène à la vie éternelle.
Tu cherches en vain, le Juge dans sa chaire,
Car ce n'est pas ainsi,
Qu'on évalue une vie
Aux portes du paradis.
Tu vivras les peines et les joies
Que tu as suscitées en chaque entité
Qui t'a prêté sa voie,
Dans sa sublime naïveté.
Ce n'est que lorsque tu ne seras plus endetté,
Que tu te seras pardonné,
Que tu pourras goûter
Au repos éternel bien mérité.
Tu seras alors surpris d'apprendre
Que tu es seul à pouvoir rendre
Un jugement sur ta probité,
Et que chaque instant de ta vie terminée
Est un moment d'éternité.
Seul l'amour inconditionnel,
Pourra t'amener au septième ciel.

L'anthropomorphisme s'est emparé de nous et on transpose en Dieu les jugements mesquins de l'être humain qui sont mus par la vengeance et l'orgueil et non par la miséricorde, la magnanimité et l'amour. Dieu n'est pas juge mais créateur. Il a créé l'homme intelligent et libre face à son destin et face aux lois universelles qui constituent les clefs spirituelles. Avec la liberté vient la responsabilité. L'être humain est seul juge de ses erreurs, de ses aberrations, de ses illusions et de ses manquements.

Dieu est parfait et dans son esprit nous sommes des êtres parfaits. Il attend patiemment et tendrement que l'on réalise notre véritable identité. Nous avons oublié que nous étions des semences d'étoiles. Dans nos nombreux périples nous avons été de grands distraits. D'êtres totalement divins de par nos origines, de par la présence divine en nous, nous en sommes venus à croire que nous pouvions évoluer par nous-mêmes.

Séparés de Dieu, nous avons créé notre personnalité humaine qui a évolué à travers ses vies en élaborant ses propres illusions : la terre, le matériel, la chair, la consommation, comme éléments de bonheur. Nous avons ainsi levé un voile entre Dieu et nous. Mais Dieu, dans son extrême humilité, est toujours demeuré présent et discret.

Nous avons connu notre bas-fond, ici-bas, en réalisant que nos illusions nous détruisaient car elles avaient pris le contrôle. Nous avons perdu la maîtrise de nos vies au profit d'un corps de femme ou d'homme, de la sainte piastre, des rôles et des masques que la société nous oblige de porter ou de substances telles l'alcool ou les drogues. Et nous sommes devenus totalement impuissants.

Et, le réveil fut brutal. D'hommes libres et prospères que nous aspirions à être, nous avons réalisé que nous étions esclaves de nos propres illusions. Heureux sommes-nous si nous avons crié à Dieu : « À l'aide ! » dans notre grand désarroi. C'est la seule puissance qui pouvait nous rendre la raison et libres. Nous avons connu l'humilité de notre faiblesse totale lorsque séparés de Lui, nous avons évolué vers notre propre destruction.

Nous avons alors décidé de confier notre volonté et notre vie à notre Créateur, puisqu'une vie menée selon notre volonté ne peut être qu'un échec. Et nous revenons à notre condition originale ; nous reconnaissons notre dimension divine, la seule éternelle et nous remettons entre ses mains chaque instant de notre destinée.

> *« Dieu ne demeure pas seulement au dehors, mais au-dedans de nous. Il n'est jamais séparé de ses créatures. Il est toujours un Dieu juste et aimant. Il est en tout, sait tout et renferme toute vérité. »*

Cette citation provient d'un volume que le hasard, ou plutôt la providence de Dieu, car le hasard est l'anonymat de Dieu, a mis entre mes mains. *La vie des Maîtres* de Baird T. SPALDING est ce bouquin qui a transformé complètement ma vie. Depuis quelques années déjà, je cherchais à donner un sens à ma vie d'athée puis d'agnostique. Je dois avouer que le fait qu'il s'agissait de « Maîtres » a chatouillé mon orgueil et j'ai été attiré par ce livre d'allure si simple puisqu'il était en format de poche. Jusque là, je m'étais gavé d'encyclopédies de grands penseurs à coup de milliers de pages que je dévorais et qui ne m'avaient apporté aucun réconfort dans ma quête existentielle. Quel réveil spirituel j'ai vécu, provoqué par cette simple mais fondamentale pensée que *Dieu habitait dans le cœur de l'homme..* Il n'était pas ce « Notre Père qui êtes aux cieux », qui m'avait semblé si éloigné dans ma jeunesse, à qui j'avais répété cette puérile ritournelle : « Restez-y ! Je n'ai que faire de votre Paradis ». Non ! Dieu était au plus profond de mon être, ce Dieu d'amour, de sagesse et de prospérité. Et, je venais chercher enfin mon héritage auprès de mon Créateur, auprès de mon Dieu, Père et Mère. « Bienheureux les pauvres en esprit ! » C'est là que j'ai finalement compris le simple enseignement de notre grand frère et maître spirituel, Jésus le Nazaréen.

> *« Nous aimons spécialement considérer trois événements. Le premier s'est produit depuis longtemps et représente la naissance de la Conscience de Christ dans l'homme. C'est la naissance de l'enfant Jésus. Nous voyons poindre le second. C'est l'intelligence et l'acceptation de la Conscience de Christ. Enfin nous aimons contempler le troisième et dernier, la plus grande des splendeurs, la seconde et dernière venue du Christ, le jour où chacun connaîtra et acceptera le Christ intérieur, vivra et se développera dans cette conscience, et croîtra comme le lys des champs. C'est la communion finale. »*
> *(La vie des Maîtres,* page 142.*)*

Si telle est notre condition, quel être humain peut conserver la plus petite parcelle de crainte, face à Dieu ? Craignons plutôt nos propres jugements, nos manques de pardon. Nous avons tout le temps pour nous préparer à nous présenter devant ce Dieu d'amour dont nous sommes les véritables fils et filles, engendrés dans l'amour le plus pur. Et n'oublions jamais que Dieu nous aime aux besoins, sans conditions et non au mérite .

J'aimerais, à cette étape de notre réflexion, vous proposer une histoire. Cela aura pour effet de calmer l'auteur et de détendre le lecteur. Allons-y ! Le titre de cette histoire est : « *Où est Dieu ?* »

À la fin de la création de l'univers, Dieu contemplait les splendeurs de sa création. Il était heureux de son œuvre mais demeurait insatisfait. Dieu le Père dit alors au Fils et au Saint Esprit : « *J'aime bien toutes ces galaxies et ces planètes avec toute la vie qui y jaillit. Mais, il y manque un élément essentiel. J'aimerais qu'au moins une de nos créatures soit consciente de notre existence et qu'elle puisse communiquer avec nous.* »

L'Esprit Saint, qui avait visité toutes les œuvres de la création, avait une prédilection pour la planète Terre qu'il avait asséchée de son souffle doux, parla ainsi au Père : « *Il y a sur la Terre un être qui au niveau de sa constitution physique et mentale possède les éléments lui permettant, après évolution et transformation, d'avoir la capacité de nous connaître, et c'est l'être humain. Je suggère donc que la présence divine soit installée sur cette planète pour lui permettre de nous y trouver.* »

Le Fils croyait qu'il fallait déposer cette étincelle divine dans un caisson recouvert de pierres précieuses et de l'installer sur la plus haute montagne ou encore au fond des mers. L'Esprit Saint trouva l'idée intéressante mais il pensa que seule une poignée d'athlètes réussiraient à atteindre cette montagne, alors qu'on voulait que tous les humains puissent avoir accès à Dieu. Par ailleurs, quant au fond des mers, ils devraient attendre jusqu'au vingtième siècle, la découverte des sous-marins et encore là, seule une minorité pourrait atteindre la divinité.

Dieu le Père les écoutait avec tendresse et riait dans sa barbe. Il leur dit : « *J'ai trouvé la solution et je l'ai exécutée. J'ai installé l'étincelle divine dans le cœur de chaque être humain.* »

Le Fils se mit à jubiler et réalisait que l'homme était vraiment créé à son image et à sa ressemblance. Il se mit en attente de la première communion avec les êtres humains. Le Saint Esprit, de son côté, demeurait perplexe et dit : « *C'est une idée géniale ! Malheureusement, je crains que l'homme ne cherche des dieux toute sa vie, à l'extérieur de lui-même, et qu'il ne pense jamais que nous sommes si près de lui, dans son cœur. S'il nous cherche, c'est sans doute la dernière place où il va regarder.* »

Dans ce contexte nous pouvons apprendre à préparer notre mort, à développer en nous l'art de mourir comme nous avons vécu l'art de vivre. À chacune des étapes de notre cheminement nous savons qu'un Dieu d'amour nous accompagne, et que la vérité ne peut être que libératrice.

Nous passerons de cet état de tension à ce désir d'atteindre la paix comme une fin, comme résultat. Mais, même cette dernière conquête n'est pas la fin du cheminement. Il nous faut en effet, passer à l'état d'être et non de résultat. La personne qui réussit sa mort est celle qui a pleinement vécu sa vie, qui a atteint l'état d'être, d'être uni, d'être heureux et qui donne le bonheur jusqu'au dernier instant de sa vie. Le bonheur n'est pas un but à atteindre, à posséder. C'est un état d'esprit dont le fruit est la liberté d'être. Il ne s'approprie rien. Il est présent partout, partageant tout. Il est offrande de la partie pure de mon être. Il ne connaît jamais de manque car il prend sa source dans l'abondance du cœur. On ne souhaite pas le bonheur...on le donne. Et Krishnamurti, ce grand philosophe indien nous dit :

> *« Vous ne pouvez pas aimer si votre dessein est de parvenir à un résultat. L'idéal n'a pas de réalité, ce n'est que l'idée d'une réussite. La beauté n'est pas une réussite, elle est la réalité maintenant, pas demain. Si vous avez de l'amour, vous comprendrez l'inconnu, vous saurez ce que Dieu est, sans que personne ait à vous le dire, et c'est la beauté de l'amour. C'est l'éternité en elle-même. »*
> **(KRISHNAMURTI, *La première et dernière vérité*, page 290)**

3.1 Accepter la mort

Plusieurs d'entre nous vivent le déni de la mort. En certains milieux on interdit même de prononcer le mot de la mort, comme si en feignant d'ignorer sa réalité, elle allait disparaître comme par enchantement. Et pourtant, la mort est inscrite dans chaque fibre de notre être, dès la naissance où commence déjà le processus de vieillissement. Ne dit-on pas : *« Mon enfant a vieilli d'un mois ; elle est maintenant âgée de trois mois. »* Il s'agit d'une évolution tout à fait naturelle à laquelle n'échappe aucun individu. Nous sommes tous destinés à mourir.

Nous expérimentons régulièrement le phénomène de la mort au cours de notre vie. Nous avons vécu la mort de l'enfance, de l'adolescence, de l'âge adulte. Nous avons vécu le deuil d'une relation, la perte d'un emploi, d'un bien matériel, d'un animal etc. Nous conservons un goût amer de toutes ces disparitions que nous considérons comme des échecs alors qu'il s'agit plutôt d'expériences, de moments privilégiés d'apprentissage et de libération.

Par ailleurs, « *il y a en nous des tendances à la répétition. C'est ce qui fait les névroses d'échecs, la répétition du même échec* » (Arnaud DESJARDINS, op. cité, page 52) Certaines femmes qui ont connu les douleurs de la relation avec un époux alcoolique vont rechercher le même type d'individus dès leur séparation. Elles possèdent à un haut niveau cet esprit de « sauveur » qui leur fait croire que cette fois-ci, elles vont réussir à guérir cet autre conjoint. Et c'est un nouvel échec. Par ailleurs, beaucoup d'hommes recherchent instinctivement le portrait de leur mère dans une conjointe possible. Ce qui fait dire à bien des femmes que le premier enfant qu'elles ont eu, c'est leur époux. Ces hommes demeurent toujours au niveau des besoins que seule une mère peut combler. Ils vont de relations en relations, tant qu'ils n'ont pas évolué vers la maturité qui permet de considérer l'autre comme une partenaire, de l'aimer sans condition et surtout sans dépendance.

La névrose d'échec la plus retentissante est celle relative à la mort. On la considère en cette vie, comme en d'autres incarnations antérieures, comme un désastre, comme une épreuve qu'on ne veut pas affronter. Et pourtant nous pouvons, dès cette vie, briser cette chaîne de reproductions, en acceptant la mort cette fois-ci. Il ne suffit pas seulement de l'admettre, il est important de l'accepter aussi, joyeusement, pour ce qu'elle est, une simple étape dans notre évolution. Pour ma part, j'aime considérer la mort comme un départ en voyage, comme un repos bien mérité après le dur labeur de la vie. La vie est tellement difficile à vivre qu'on finit tous par en mourir.

> *« Après avoir fait tout en son pouvoir pour maintenir haute la flamme de la vie , lorsque vient l'heure, et quand elle est déjà à la porte, c'est folie de s'opposer au dénouement inévitable. Dans ce moment critique, la sagesse conseille de déposer les armes, de larguer les amarres, de se laisser emporter.*
>
> L'homme doit devenir ami de la mort, c'est-à-dire qu'il doit se faire à l'idée, se faire ami de l'idée que tout finit. Sereinement, sagement, humblement, il doit accepter de finir : lâcher les attaches qui, comme de gros cordages, le retiennent à la rive, et...se laisser emporter par la mer.
>
> Tout est bon. Après le dur hiver viendra le printemps. Après que j'aurai fini, d'autres commenceront, comme plusieurs ont dû finir pour que je commence. Les choses sont ainsi, il est bon qu'elles soient ainsi, et il faut les accepter comme elles sont. J'aurai une fin, d'autres me suivront ; et dans son incessante ascension, l'homme volera toujours plus haut et plus loin. Tout est bon.
>
> Telle est la victoire de l'homme sur la mort. Et c'est ainsi que l'on réussit à transformer le pire ennemi en ami. »
> **(Ignace LARRANAGA, *De la Souffrance à la Paix*, page 56)**

La mort n'est pas un désastre, mais bien la fin de notre mandat de vie. Bien avant cette incarnation, nous avons décidé nous-mêmes de venir faire un séjour sur la terre. Nous avons du attendre le moment le plus propice à l'exécution des projets d'évolution que nous désirions réaliser dans cette incarnation. Nous voulions faire nos classes et nous nous sommes dirigés vers l'université de l'apprentissage qu'est la vie sur terre. Nous avons nous-mêmes choisi nos propres parents, les lieux et les circonstances du déroulement de notre vie afin de pouvoir ajouter un nouveau pavé à notre chemin de retour vers Dieu. Nous savons alors le temps qui sera à notre disposition pour réaliser notre projet et, quand cet épisode sera terminé, nous partirons. Nous regagnons alors notre autre demeure où nous procédons à notre inventaire en toute honnêteté. Nous ne pouvons ajouter aucune seconde à cette période allouée. C'est ainsi que nous ne pouvons, en aucune manière, modifier la date, l'heure ou la seconde de notre mort. On peut améliorer la qualité de notre vie mais on ne peut en modifier la limite.

De là, l'importance de vivre le moment présent qui apporte la sérénité. Trop de temps à scruter le passé m'empêche aujourd'hui de prédire l'avenir, car c'est dans le moment présent qu'est la semence du futur.

> *« On désarme le souci en reconnaissant les erreurs passées pour ce qu'elles sont et en en tirant les leçons, puis en les laissant à leur adresse permanente, c'est-à-dire le passé. »* **(Dr Deepak CHOPRA, *Vivre la santé*, page 164).**

C'est ce même Deepack Chopra, docteur en médecine, endocrinologue, président de l'Association américaine de médecine ayurvédique qui nous dit : «*...les êtres sains ne vivent ni dans le passé, ni dans le futur, mais dans le présent, dans l'ici et maintenant qui, libre* *de tout ombre, donne au moment présent une saveur d'éternité.* »(op. cité page 165)

> *Hier n'est qu'un rêve et demain, une vision. Mais, bien vécu, l'aujourd'hui fait de chaque hier un rêve de bonheur et de chaque demain une vision d'espoir. Prends donc bien soin d'aujourd'hui.*
>
> ***Proverbe sanskrit***

3.2 Vivre la mort sciemment et librement

Certaines personnes espèrent mourir des suites d'une crise cardiaque, soudainement, et ne jamais être inquiétées par la mort. D'autres, au contraire, souhaitent avoir le temps de bien préparer leur mort, de vivre consciemment et librement les derniers instants de leur vie.

Un de mes amis, prêtre, Serge V., est mort des suites d'un cancer. Lors d'une visite à l'hôpital, il se plaignait des effets des drogues qu'on lui administrait. Il était gêné de me montrer le cahier où il avait commencé à rédiger le programme de ses funérailles, car la morphine le rendait incapable de tracer les mots correctement sur ses feuilles. Il me demanda de l'aider à rédiger ses dernières volontés qui lui tenaient tellement à cœur, puisqu'elles constituaient sa dernière activité consciente avant de nous quitter. J'ai consigné chaque élément de ce programme de festivités alors qu'il me décrivait le déroulement de ses propres funérailles.

Il désirait que son corps soit exposé à l'avant de l'église et que les personnes qui viendraient lui rendre un dernier hommage, puissent déposer dans son cercueil des prières et des messages qu'il apporterait avec lui, et qu'il livrerait par la suite dans l'autre dimension. Il a prévu chacune des pièces musicales qui furent exécutées pendant son service funèbre de même que les mots de l'homélie qu'il désirait entendre pendant la messe.

Dans un ultime effort et malgré les pénibles douleurs causées par son cancer, il insista auprès de son médecin pour avoir au moins une journée où il serait complètement conscient, avant de mourir. Il lui demanda de l'avertir lorsque la fin serait arrivée. Puis vint ce fameux jour, quand il se fit transporter à son presbytère où il désirait mourir. Il ne prit aucun médicament et il présida lui-même, dans sa chambre et en toute lucidité, la cérémonie des morts, entouré de ses plus fidèles paroissiens et de quelques amis. Quand le rituel fut terminé, il demanda un dernier « cocktail » pour entreprendre son long voyage.

À la fin de son service funèbre, il avait prévu la libération d'une cage, de deux colombes qui, avant de s'envoler, vinrent tourner autour de son cercueil. C'est le souvenir merveilleux qui me reste de cet ami que j'ai profondément aimé. Serge est maintenant plus vivant que jamais et il m'arrive de le visiter en rêve. Nous pouvons tous accéder à une sérénité bénéfique au moment de la mort, en nous y préparant dans la plus grande simplicité. Nous faisons nos adieux temporaires puisque nous savons que nous nous retrouverons dans le futur. Dans l'amour véritable, il n'y a jamais de séparation.

En attendant, nous pouvons communiquer avec les personnes que nous aimons et qui nous ont précédés au paradis. Quelques mois après sa mort, mon ami Roger R., dont il est question au premier chapitre sur l'accompagnement, est venu me visiter par la pensée. J'étais allé méditer sur sa tombe au cimetière et je m'apitoyais sur le sentiment de solitude qui m'avait envahi. On ne peut s'habituer facilement à l'absence d'une personne avec qui nous avons échangé pendant plus de vingt ans et ce, presque chaque jour. Il y a un vide qui prend du temps à se combler. C'est une période de deuil bien normale. Et puis, j'ai tendance à faire si facilement de l'apitoiement. Pauvre, pauvre de moi ! Comme il est malheureux le petit Gilles ! Y-a-t-il quelque part une épaule accueillante ?

J'étais assis sur la pierre tombale, les yeux fermés et recueilli, n'écoutant que le bruit du vent dans les arbres et le chant des oiseaux bien vivants. J'envoyais à mon ami des bénédictions, des remerciements et des messages d'amour. À un moment donné, je l'ai vu dans ma tête qui souriait à pleines dents. Dans son regard brillait une digne insolence qui ne pouvait être que céleste. Il me demanda : « *Voyons, Gilles ! Qu'est-ce que tu fais ici, dans un cimetière ? N'as-tu rien de mieux à faire ?* » Ce à quoi je répondis, toujours par la pensée : « *Tu ne vois pas que je suis venu rendre hommage à ta dépouille, à ton vieux corps qui est six pieds sous terre !* » Il reprit aussitôt : « *Un gars intelligent comme toi devrait savoir que depuis mon départ, je ne fréquente pas les cimetières. Je suis présent dans ton cœur et tu me portes avec toi dans quelqu'endroit que tu sois.* » Et il disparut de mon esprit en souriant. C'est le cœur léger que j'ai franchi les allées du cimetière pour me rendre jusqu'à l'autobus qui me ramena à la maison. Je me sentais rempli d'une paix douce et bienfaisante.

La nuit suivant la mort de mon ami, le religieux Gérard A., j'ai rêvé que j'étais avec lui dans un chic restaurant. À un moment donné je l'ai interpellé, car je trouvais étrange qu'il soit attablé avec moi, étant donné son décès récent, et je lui dis : « *Gérard ! Qu'est-ce que tu fais ici en ma compagnie, dans un restaurant ? N'es-tu pas décédé hier ?* » Et Gérard de me répondre avec un sourire suave et malin : « *Voyons Gilles ! S'il y en a un qui devrait savoir que je suis bien vivant, c'est bien toi* ! » Et son image s'est estompé me laissant perplexe.

À mon réveil, je me suis rappelé nos nombreuses discussions où j'essayais de le convaincre de ne pas craindre la mort qui lui rendrait une vie encore plus riche que celle qu'il avait connue sur terre. Je me souviens qu'il m'avait demandé si dans l'autre dimension on avait un corps. Et je me rappelle lui avoir dit que nous aurions un corps spirituel encore plus réel que notre corps physique. Connaissant ses penchants pour les plaisirs de la table, j'avais même ajouté qu'un jour nous assisterions à un banquet ensemble, au ciel. J'eus l'impression qu'il venait confirmer mes propres intuitions sur la vie après la vie.

Oui les morts nous entendent ! Ils sont toujours prêts à recevoir nos messages d'amour. Nos communications ne sont limitées que par notre manque d'imagination.

Noël 1996

Cet essai sur l'art de mourir a dû être interrompu pendant une dizaine de jours car j'ai fait une crise cardiaque qui me força au repos à l'hôpital où l'on a réussi à contrôler cet infarctus du myocarde le jour de Noël. Durant ce temps d'arrêt, j'ai pu vivre une belle expérience de soins professionnels à mon hôpital préféré où j'ai déjà subi l'an dernier deux opérations pour pontages au niveau des jambes.

Je me dois de relater dans ce livre cette épreuve avec un personnel médical tellement dévoué et compétent, que j'ai décidé de leur rendre ici un hommage bien mérité. Pendant plus de trois heures je me suis abandonné complètement dans cette salle d'urgence. L'équipe du « CODE », composée de femmes médecins et d'infirmières spécialisées dans les cas d'urgence, ont multiplié les soins afin de contrôler ce caillot de sang, monté jusqu'aux portes de mon cœur.

J'ai senti tellement de bienveillance et d'ardeur chez ces professionnelles de la santé que j'ai fait confiance. Pendant quelques secondes d'éternité, j'ai vu le plafond de la salle se mettre à tourner et j'ai senti un mouvement irrésistible m'entraîner dans un tourbillon de délivrance. J'ai aperçu sur le visage de ma sœur qui attendait, un air de stupeur qui me fit croire que j'étais sur le point de m'envoler hors de mon corps physique. Mes fées s'affolaient et multipliaient leurs gestes magistraux qui ordonnent à la vie. Enfin, les images reprirent leur clarté, leurs formes, j'étais ressuscité.

J'étais persuadé que si je devais survivre à cette attaque, c'étaient ces femmes qui me sauveraient. Si par contre, l'heure de ma transition était arrivée, je l'accueillerais dans le calme et la joie de revoir mes amis et mes parents qui m'attendaient sur l'autre rive de la vie. Je les voyais déjà dans leur robe de lumière qui me saluaient d'un signe de la main. Ils me firent comprendre que notre réunion n'était pas pour ce jour. Je repris conscience après ces quelques secondes où j'avais vu le plafond tourner et où je m'étais senti aspiré vers une spirale qui contenait l'image de mes glorieux amis. C'est en paix que je suis revenu. Je savais que mon mandat de vie, que Paulo CŒLHO nomme ma *Légende Personnelle* (voir *l'Alchimiste*, page 46), n'était pas terminé.

Comme il n'y a pas de hasard, je n'ai pas été trop surpris d'apprendre que le jour de mon infarctus, on publiait dans le journal La Presse, le décès d'une personne qui portait un nom identique au mien et, dans le Journal de Montréal, celui d'une personne qui avait exactement mon âge ; comme si l'ordinateur cosmique m'avait visé avec des données si comparables aux miennes mais qu'on appelait quand même d'autres personnes, tout en me signifiant que je n'étais pas éternel sur cette terre. Dès que j'ai pu recouvrer un peu d'énergie, j'ai écris les quelques lignes suivantes pour graver dans ma mémoire un souvenir inoubliable.

> Ce 25 décembre 1996, alors que la ville s'éveillait, s'étirait à travers les rares flocons de neige, j'ai fait un clin d'œil à ce monde de nulle part où le temps et l'espace s'effacent devant l'immensité de l'Être. Il se confond avec la beauté de la vie qui circule dans toutes les dimensions.
>
> Je me suis senti ballotté au gré de ce nœud près de mon cœur. Les Fées de la santé le défaisaient pour me retenir dans leurs bras maternels regorgeant de vie. Si près de franchir le dernier pas étourdissant, j'en perdais l'équilibre. Tout tournait autour de moi comme à la roulette.
>
> Puis, un calme grandiose s'est installé. Je les regardais s'affairer et je les admirais. J'ai désiré que ces efforts si généreux pour sauver une vie fussent récompensés...ou plutôt, est-ce le Maître de vie qui les accompagnait, qui finalement me ramena de ce

côté-ci du mur où je suis encore aujourd'hui, prêt à revivre le même miracle.
(Noël 1996, à l'hôpital Notre-Dame de Montréal.)

Quelques jours plus tard, c'est mon frère aîné qui a fait sa transition. En effet, le 10 janvier 1997, on trouvait mon frère, Jean-Claude, sans vie terrestre, dans son fauteuil, devant la télévision. Il était mort subitement. Jean-Claude était prêtre catholique et il a consacré la majeure partie de sa vie auprès des enfants des écoles du quartier Saint-Henri.

Le corps physique de mon frère fut exposé pendant deux jours au cours desquels j'ai entendu des témoignages merveilleux de la part d'adultes et d'enfants qui ont pu profiter de sa bonté et de sa générosité. J'ai vu des enfants se recueillir, prier et pleurer comme s'ils avaient perdu leur propre père. J'ai entendu des membres de familles représentant plusieurs générations dire toute leur affection et leur admiration. Quelle leçon ! Oui le bien ne fait pas de bruit et c'est dans une totale discrétion que Jean-Claude a exercé son ministère auprès des êtres humbles comme lui. « *Ce que vous ferez aux plus petits d'entre les miens, c'est à moi-même que vous le faites.* »

Il m'arrive de blaguer avec mes amis intimes et de leur dire que je suis un être intelligent mais ...pas brillant. En mon frère j'ai connu un être brillant car son intelligence, qui était beaucoup plus grande que la mienne, était assise sur une profonde humilité. C'est à ce moment que Dieu peut se manifester et que la lumière de sa sagesse et de son amour peut s'exprimer, et se rendre jusqu'à nos frères les humains. Jean-Claude nous a transmis cet amour inconditionnel de Dieu, en nous accueillant sans jugement. Comme Dieu, il nous a aimés selon nos besoins et non selon nos mérites.

Ce fut un privilège de vivre avec ce frère tout au long de sa vie, marquée par le sceau de Dieu. Ses funérailles furent empreintes d'une majestueuse simplicité. Je n'ai cessé, depuis son départ, de lui envoyer des bénédictions et des messages d'amour et de gratitude, en lui souhaitant un repos bien mérité.

3.3 Développer le sens de l'unité

Le seul péché qui existe est celui de se séparer de Dieu et de nos frères humains. Par contre la plus grande joie est celle de nous sentir uni à Dieu et à tous les êtres, indépendamment des distances et des conditions de vie. C'est cette sensation d'unité avec tout ce qui existe que je vous propose ici par un exercice de méditation.

MÉDITATION

Dans un premier temps, il vous est suggéré de trouver un endroit paisible où vous ne serez pas dérangé par aucun bruit important. Cela peut bien être dans votre demeure ou en pleine nature. Par ailleurs, vous pouvez aussi choisir un lieu de culte. De nos jours, ils sont souvent vides et remplis de tranquillité.

Installez-vous bien confortablement et dégagez toute pression physique causée par une ceinture, un bijou, une montre, un soulier étroit etc. Fermez les yeux et accueillez-vous :

« BIENVENUE À CETTE SCÉANCE DE RELAXATION. »

DÉTENTE

* Je respire profondément, par le nez, l'air divin. Je le retiens quelques secondes et puis je l'expire par la bouche en prononçant le mot « *DÉTENTE* ». Je chasse de mon corps toute tension et je l'envoie vers la terre où l'énergie tellurique la transforme en énergie positive.

* Je respire à nouveau profondément par le nez, l'air divin. Je le sens pénétrer mes poumons et ma tête, je le retiens quelques secondes et puis je l'expire par la bouche en répétant le mot : « *DÉTENTE* ».

* Puis je respire normalement, calmement, lentement. Je porte mon attention sur mon pied droit ; « *DÉTENTE* ».

* Je respire calmement et je porte mon attention sur l'énergie qui se dirige

- sur ma jambe droite... « *DÉTENTE* »
- sur mon pied gauche... ”
- sur ma jambe gauche... ”
- sur le bas de mon corps... ”

* Et je respire calmement et je porte mon attention

- vers mon ventre... « *DÉTENTE* »
- vers ma poitrine... ”
- vers mon dos... ”
- vers mon bras droit et ma main... ”
- vers mon bras gauche et ma main... ”
- vers mes épaules... ”

*Et je respire calmement et je porte mon attention

- vers mon cou... ma gorge... *« DÉTENTE »*
- vers ma tête... mes yeux... ”
- vers mes oreilles... mon nez... ”
- vers ma bouche... mes mâchoires... ”

DÉTENTE... DÉTENTE...DÉTENTE

ACCENTUATION DE LA DÉTENTE

*Je respire lentement, calmement, paisiblement et je commence à compter de 7 jusqu'à 1. À chaque chiffre prononcé, *la détente s'accentue* et atteint une plus grande profondeur.

*J'inspire profondément et j'expire lentement ; *« DÉTENTE PLUS PROFONDE »...7* ; l'énergie de détente me parcoure de la tête jusqu'aux pieds.

J'inspire profondément et j'expire lentement ; *« DÉTENTE PLUS PROFONDE »...6...*

J'inspire profondément et j'expire lentement ; *« DÉTENTE PLUS PROFONDE »...5...*

J'inspire profondément et j'expire lentement ; *« DÉTENTE PLUS PROFONDE »...4...*

J'inspire profondément et j'expire lentement ; *« DÉTENTE PLUS PROFONDE »...3...*

J'inspire profondément et j'expire lentement ; *« DÉTENTE PLUS PROFONDE »...2...*

J'inspire profondément et j'expire lentement ; *« DÉTENTE PLUS PROFONDE »...1*

ZÉRO...Je me retrouve sur le sommet d'une des plus hautes montagnes... J'admire le paysage autour de moi ... jusqu'à l'horizon où se développe un coucher de soleil aux couleurs sensationnelles... Je m'avance lentement vers ce soleil radieux... je me sens pénétré de sa lumière dorée, si douce... qui donne la santé à chaque atome de mon corps... Je suis uni totalement avec le soleil... les arbres... la neige.. les couleurs... et je flotte allègrement. Je me sens dans la plénitude de l'être. Je me laisse bercer par de douces aurores boréales dont j'admire chacune des couleurs et leur musique respective.

Je me retourne et j'aperçois devant moi un magnifique temple de marbre blanc... Je m'approche et sur le parvis surviennent, l'une après l'autre, chacune des personnes que j'ai aimées sur terre et qui sont maintenant au ciel... Je suis si heureux ! ... Je leur donne l'accolade et à chaque fois que je les embrasse...je me sens envahi par un sentiment de bien-être extraordinaire...que je n'ai jamais ressenti jusqu'à ce jour. Nous pénétrons ensemble à l'intérieur du temple et nous sous installons en son centre. ...Au même moment, nous entendons une douce musique... et de la voûte descend jusqu'à nous une lumière blanche qui se développe dans tous les tons de l'arc-en-ciel...et une voix se fait entendre, très forte : « COMME JE VOUS AIME ! »... La lumière et le son de cette voix nous pénètre. Je me sens uni complètement à Dieu et à chacune des personnes que j'aime...Je ne me suis jamais senti si bien, si serein. Je m'unis à toutes les prières du monde qui sont montées jusqu'à Dieu depuis des siècles et, aujourd'hui, je laisse monter à mon tour, du plus profond de mon être cette fameuse prière :

Notre Père qui es dans les cieux
que ton Nom soit sanctifié,
que ton Règne vienne,
que ta Volonté soit faite
sur la terre comme au ciel.
Donne-nous aujourd'hui
notre pain quotidien.
Remets nous nos dettes
comme nous-mêmes avons remis
à nos débiteurs.
Et ne nous soumets pas à la tentation ;
mais délivre nous du Mauvais.
AMEN !

Mais, je réalise que mon mandat sur terre n'est pas terminé. Je reviens dans mon corps physique que j'intègre lentement en comptant *1...2...3...4...5...6...7.* J'ouvre les yeux et je remercie Dieu et tous mes amis pour ces instants d'extase merveilleuse. Je n'ai aucun regret, car je sais que je puis répéter cette expérience aussi souvent que je le désire.

FIN DE LA MÉDITATION

Cette méditation sera facilitée si vous enregistrez sur bobine les instructions qui servent de guide, avec un fond musical de votre choix, et que vous l'écoutez simplement. Vous pouvez aussi demander à une personne d'agir comme meneur de jeu, car il s'agit bien d'un divertissement, d'une détente où l'effort est absent, et où l'on peut se laisser aller à nos fantaisies. Avec le temps, cette méditation se fera de plus en plus facilement et vous atteindrez la transe de la détente plus rapidement. Ce type de méditation intègre des principes de base de l'auto-hypnose.

Et surtout, n'allez pas entreprendre immédiatement après cet exercice de relaxation, une activité physique importante, comme celle de conduire une automobile. Vous demeurez pendant quelques moments avec des réflexes très lents.

Toute méditation a pour but de nous amener à cet état de silence intérieur qui nous permet de rejoindre notre être dans sa dimension la plus pure, celle où on atteint cette sensation d'unité avec tout ce qui existe, dans la plénitude de la lumière de Dieu. On peut méditer à partir de n'importe quel être vivant : une fleur, un rocher, un arbre, un ruisseau. À un certain moment on pénètre à l'intérieur de cet être dans lequel on se fond. Alors, apparaît la lumière de la vie divine qui anime et cimente tous les atomes remplis d'énergie cosmique, dans une harmonie merveilleuse, où le sentiment d'unité nous ramène au paradis de nos origines.

Près d'un ruisseau

J'ai murmuré au ruisseau...un chant d'oiseau. J'ai glissé sur la rivière...avec mes godillots. J'ai crié au fleuve que tout cela était beau ! J'ai vu le soleil s'étendre sur la mer...et prendre son verre d'arc-en-ciel. J'ai entendu la lune faire danser les loups. Ils ont fait la une de mon journal jaloux. J'ai vu porter en terre un fils de notre Mère. Il retournait chez Celle qui l'a vu paître et qui l'attendait pour le faire renaître...en Ruisseau, en Fleuve ou en Loup, ou peut-être en Soleil...pour éclairer partout.

Avec l'aide de Dieu, nous connaissons un réveil spirituel dans cette recherche contemplative qui nous fait passer, dans une quiétude suave, de la conscience individuelle à la conscience cosmique où l'être humain découvre la dimension de son unité avec toute la création. Parfois Dieu le gratifie de quelques moments de conscience divine alors qu'il perçoit Dieu à l'intérieur de chaque créature, dans la lumière qui anime tout être créé qui provient de la Source et retourne à Dieu dans un enchantement olympien.

Comme nous le dit si bien Edgar Cayce, nous sommes des êtres de lumières et notre patrie est un pays de lumière :

> *« Oui, oui et oui. Je voudrais que vous deveniez tous amants de la lumière. Si on me limitait à ne vous livrer qu'un seul message, je vous dirais tout simplement : Devenez amants de la lumière, lumière spirituelle, lumière du soleil, lumière artificielle ou faux soleil de la nuit. La lumière spirituelle toutefois ne comporte aucun risque à une longue exposition, et c'est beaucoup plus amusant. On développe cette lumière par la méditation répétée, et je le redis, sa pratique n'entraîne aucun risque. Quand cette lumière est installée, vous ne voulez plus jamais en perdre les bienfaits. »*
>
> **(Edgar CAYCE, *Channeling*, page 15)**

4 La transition

Vous est-il déjà arrivé de faire un rêve intéressant, qui s'est terminé dans la confusion totale, alors que vous vous êtes senti projeté dans un immense abîme ? Vous descendez à toute allure et rien ne peut vous retenir. Vous appréhendez votre atterrissage et la peur vous empêche même de crier. Ou encore cette sensation de descente peut être survenue, après que vous vous êtes vu en train de voler allègrement. Et soudain, vous perdez ce pouvoir de voler et vous commencez une descente vertigineuse qui vous affole complètement. À la fin, vous avez senti un choc terrible, vous vous êtes réveillé et vos membres tremblaient encore sous l'effet du contact violent avec votre propre corps. Vous en avez été quitte pour une peur terrible avec des sueurs froides sur tout le corps. Puis, vous vous êtes retourné dans votre lit, rassuré, heureux d'être toujours en vie et sans fracture à aucun de vos os.

4.1 Le voyage astral

Et ce n'était pas un cauchemar ! Mais que s'est-il passé ? Eh ! bien vous avez tout probablement expérimenté une sortie hors de votre corps, un voyage astral. Et le retour, cette fois-là, a été très brusque, et c'est pourquoi vous avez senti toutes les vibrations de la rentrée, de manière quelque peu violente. Souvent ces « décorporations » se font aussi en douceur de même que le retour dans notre corps. C'est une des raisons pour laquelle peu de personnes en gardent le souvenir. Par ailleurs, la majorité des personnes, n'étant pas familières avec ce phénomène, ne réalisent même pas qu'elles ont fait un voyage astral.

Ces sorties hors du corps physique n'ont été sérieusement analysées qu'assez récemment et c'est sans doute pourquoi nous demeurons si ignorants des règles qui les gouvernent. Par contre, le phénomène est passablement répandu et aujourd'hui, les gens hésitent moins à en parler.

Il est possible qu'un des éléments déclencheurs pour certaines personnes soit un choc nerveux, lors d'un accident grave qui leur fait frôler la mort. D'autres ont vécu une sortie hors de leur corps, suite à une anesthésie, où le produit utilisé pour anesthésier avait un effet direct sur un de leurs corps en le repoussant hors de leur corps physique. Enfin, certaines drogues et l'abus de l'alcool pourraient avoir les mêmes effets.

Il semblerait, d'après ces expériences, que l'être humain n'a pas seulement un corps physique, mais un autre corps qui peut se détacher du corps physique en certaines circonstances bien précises. Enfin, il y a des personnes qui expérimentent ces « décorporations » tout naturellement et tout simplement. Certains en sont même venus à les contrôler au point de les provoquer à volonté. Telle est l'expérience rapportée par un américain, Robert MONRŒ Jr. (*Le Voyage hors du corps. Les Techniques de projection du corps astral*).

Monsieur Monrœ est un homme d'affaires important qui fut tellement impressionné par le très grand nombres de voyages hors du corps qu'il fit lui-même, qu'il décida de les soumettre à des médecins. Il fit des présentations à l'université de la Californie, à la faculté de médecine de Brown University de même qu'au très réputé et sérieux Smithsonian Institute. Il fonda le Monrœ Institute en 1972 où plus de sept cent personnes ont participé à un programme de recherche et de formation expérimentale. Et plus de onze milles personnes se sont adressées à lui, par lettre, pour exprimer leur gratitude pour ses recherches.

Un des éléments essentiels retenus lors de ces expériences hors du corps (EHC) est le fait que « *la personne sent qu'elle a vécu l'expérience directement en étant consciente et vivante indépendamment de son corps physique.* » (Robert MONRŒ, Op. cité, p.16)

> « *De nombreux êtres vivants, voire la totalité ont un Corps Second. Pour des raisons inconnues, nombre d'entre eux, voire tous, se séparent de leur corps physique via ce Corps Second durant leur sommeil. Ils ne conservent le plus souvent aucun souvenir conscient de ces escapades. Les cas où la séparation est obtenue de manière délibérée sont des plus rares.* » **(Robert MONRŒ, Op. cité, p.283)**

> « *Nous définirons une expérience hors du corps comme un phénomène au cours duquel le sujet 1) semble percevoir une certaine partie d'un certain environnement qu'il lui était impossible de percevoir à partir de l'endroit où son corps physique se*

trouvait à ce moment ; 2) sait qu'à ce moment-là il ne rêvait ni ne fantasmait.» **(Robert MONRŒ, Op. cité, p.15)**

Il ne s'agit pas ici d'un simple rêve bien que plusieurs de nos rêves peuvent ressembler à ce genre d'expérience. En effet, nous sommes en face d'un phénomène tout a fait différent, où la personne sortira de son corps physique. Elle aura pleine conscience qu'il ne s'agit pas d'un rêve, mais d'une expérience tout à fait différente, puisqu'elle peut parfois voir son corps physique. Elle plane au-dessus de son corps, qu'elle peut souvent prendre pour celui d'un autre. Certains ne pourront s'aventurer bien loin tant ils demeurent sidérés par l'expérience. D'autres au contraire, s'en donnent à cœur joie et connaissent peu de limites à l'étendue de leur voyage astral.

La dernière fois qu'il m'est arrivé de faire un voyage astral, j'étais déjà rendu très loin de ma chambre et je me suis demandé si j'étais en état de rêve où si j'étais en astral. Je me suis alors dit, que tout ce que j'avais à faire pour m'en assurer, était de traverser un mur proche de moi, puisque seulement en astral peut-on réussir une telle manœuvre. Je me suis exécuté aussitôt et à ma grande joie, j'ai traversé ce mur comme s'il s'était s'agit d'un rideau d'eau. Alors, sachant que dans le monde astral le geste suit immédiatement la pensée, et qu'il n'y a pas de notion d'espace ou de temps, je me suis retrouvé à Rome à l'instant même où j'en exprimais le désir. Dans un premier temps je ne pouvais reconnaître la ville de Rome où j'ai déjà habité pendant deux ans. J'étais dans un quartier qui m'était inconnu. Par après, j'ai manifesté le désir de me retrouver au Vatican et en un clin d'œil, j'étais sur la place Saint-Pierre. Ce fut une bien belle expérience mais un peu pénible, car les seules personnes que je pouvais contacter étaient des personnes qui étaient elles-mêmes en astral sans trop le savoir. Les autres personnes, je les voyais, mais elles ne me voyaient pas.

Dans les pages 189 à 192 du volume de Monrœ, on retrouve ses conclusions sur la nature de ce fameux Corps Second (CS).

Le Corps Second (CS)

- Le CS est d'une densité tellement faible qu'il lui est possible de traverser des murs, des objets et de s'insinuer ainsi « *dans l'espace existant dans la structure moléculaire matérielle* » ; il a un poids qui est soumis à une certaine attraction universelle.
- Le CS est visible dans certaines circonstances par la lumière radiante autour du périmètre de la forme du corps.
- Il possède un sens du toucher et peut percevoir les objets physiques.
- Il est très élastique et susceptible de prendre n'importe quelle forme.
- Il existe un « câble » de raccordement entre le corps physique et le CS, tel que décrit dans la littérature ésotérique de tous les temps.

Lors de nos EHC nous demeurons toujours liés à notre corps physique par un « câble de raccordement » que certains nomment « corde d'argent ». Ce lien est très élastique et nous permet de voyager à des distances très éloignées de notre point de départ. Parfois, nous sommes ramenés brusquement et rapidement à notre corps physique pour différentes raisons reliées soit à un danger provenant du monde astral, ou encore de notre propre corps physique. C'est alors que nous faisons une rentrée corporelle assez vive que nous ressentons même après le réveil. Au départ et au retour, nous expérimentons des vibrations assez fortes pour être parfois très perceptibles. On ne doit pas oublier que tout est question de niveau de vibrations. Chaque monde a son propre niveau de vibrations. Même le monde physique a son niveau. Vous regardez une table et elle vous semble bien solide. Et pourtant, sa structure moléculaire démontre tout un mouvement, toute une vibration entre ses atomes, ses molécules, ses cellules. C'est ce qui permet à un Corps Second de se faufiler à travers les objets matériels physiques. D'après Monrœ, une des limites du CS est le champ magnétique et les fortes tensions électriques qui peuvent en bloquer le passage.

Monrœ nous rapporte qu'à chaque fois qu'il a consciemment provoqué une EHC, il a, au début de l'expérience, ressenti de fortes vibrations parcourir tout son corps, avant que le dédoublement ne s'opère. Sa « décorporation » se faisait alors soit par la tête soit par l'ensemble du corps, comme s'il s'était roulé hors de son corps. Ces vibrations sont très importantes, puisqu'elles permettent de déclencher le processus afin de parvenir dans un champ, dans un monde, où le niveau de vibrations est différent de celui où nous sommes habitués, dans le champ physique où nous habitons. Et ce nouveau champ, ce nouveau monde est le plan astral qui comporte son propre niveau de vibrations.

En résumé, les expériences de Monrœ nous apprennent que tout être humain possède, en plus de son corps physique, un Corps Second, que ce CS vibre à un niveau différent du plan physique, qu'il peut se détacher du corps physique, que tous les humains, à chaque nuit, voyagent hors de leur corps physique et que très peu se souviennent de ces voyages dans l'astral à leur réveil.

4.2 NDE (Near Death Experience)

Le phénomène de l'expérience hors du corps a été étudié dans un tout autre contexte par le Docteur Raymond Moody. Au cours d'une période de plus de vingt ans, ce docteur en philosophie et en médecine a recueilli et analysé les témoignages de nombreuses personnes qui ont frôlé la mort ou qui ont connu une « mort clinique ». Ces personnes ont vécu ce que Docteur Moody nomme une « NDE » (Near Death Experience), c'est-à-dire qu'elles ont vu la mort de très près.

> *« Il s'agit de sujets ayant été à un moment donné réellement tenus pour cliniquement morts, mais aussi de personnes qui n'ont fait que frôler la mort à la suite de blessures graves ou pendant le cours d'un accident. »*
> **(Dr. Raymond MOODY, *Lumières sur la vie après la vie,* p.33)**

Cette citation provient d'un second volume du Docteur Moody, qui avait surpris tout le monde médical et bien d'autres personnes avec son premier volume devenu best seller et intitulé : « *La vie après la vie* ». Dans ce premier livre, nous retraçons les origines de l'étude du Dr. Moody et une première analyse d'une cinquantaine de cas de NDE.

Avant de faire ses études en médecine, Dr. Moody était un professeur de philosophie très ouvert d'esprit, et il aimait provoquer ses étudiants par des discussions philosophiques intéressantes sur des sujets inusités comme celui de la mort. C'est ainsi que certains de ses étudiants, profitant de l'ouverture d'esprit de leur professeur, lui soumirent des cas de « mort temporaire » de personnes qu'ils connaissaient et qui leur avait raconté ce qu'elles avaient vécu pendant une courte période où elles avaient été considérées par les médecins, comme mortes. Elles étaient revenues à la vie terrestre et leur avaient partagé leur expérience.

Avec les années, Dr. Moody a pu répertorier environ 150 cas qu'il a classés en trois catégories distinctes :

> *« 1. Les expériences vécues par des personnes qui ont été ranimées après avoir été tenues pour mortes, déclarées telles, ou considérées comme cliniquement mortes par des médecins ;*
>
> *2. Les expériences vécues par des personnes qui, à la suite d'accidents, de blessures graves, ou de maladie, ont vu la mort de très près ;*
>
> *3.Les expériences vécues par des personnes qui, sur le point de mourir, en donnaient la description à ceux qui les entouraient. Par la suite, ces témoins m'ont communiqué le contenu de ces expériences d'agonisants. »*
>
> **(Dr. MOODY, *La vie après la vie*, p.24-25)**

Au début de ses deux volumes, Dr. Moody dresse le portrait-type des personnes qu'il a rencontrées et résume ainsi leurs expériences. Dans son premier volume, il nous donne quinze éléments fondamentaux qui se retrouvent dans l'ensemble de ces NDE, et en ajoute quatre autres dans son second volume, comme résultats de ses recherches plus récentes.

Éléments fondamentaux des NDE
• *La personne se meurt et elle atteint le paroxysme de la détresse physique.* • *Elle entend un médecin qui constate son décès et la déclare morte.* • *Elle perçoit un bruit désagréable comme un bourdonnement, une vibration.* • *Elle se sent emportée rapidement à travers un long tunnel obscur.* • *Elle voit son propre corps à distance.* • *Elle réalise qu'elle continue de posséder un corps.* • *Des êtres s'avancent pour lui venir en aide.* • *Un « être de lumière » vient à sa rencontre.* • *Cet « être de lumière » suscite une interrogation sur sa vie.* • *La personne dresse un bilan de sa vie.* • *Elle expérimente une connaissance intégrale ; elle a une impression de savoir absolu.* • *Dans ce monde il n'y a pas de temps.* • *Elle rencontre des esprits égarés.* • *Elle a accès à des secours surnaturels.* • *Elle rencontre une barrière, une limite qu'elle ne peut dépasser.* • *Elle réalise qu'elle doit revenir en arrière.* • *Elle ne souhaite pas ce retour.*

- *Elle est envahie par des sentiments de joie, d'amour, de paix.*
- *Elle se retrouve réunie à son corps physique ; elle renaît à la vie.*

Dr. Moody fait un rapprochement entre ces différents éléments notés lors de ses recherches et la sagesse antique, contenue dans le Livre des Morts Tibétain. Cet œuvre ésotérique date du 8e siècle, mais n'a été connu en occident qu'au début du 20e siècle. Ce livre contient les enseignements prodigués aux agonisants, pour leur permettre d'effectuer une transition en douceur, en étant avertis des phénomènes nouveaux que la personne qui décède expérimente au moment de se détacher de son corps physique. Il est étonnant de noter que les enseignements contenus dans ce Livre correspondent en partie aux étapes rapportées par les personnes que le Dr. Moody a interrogées. Il s'agit d'un rituel religieux qui était récité pendant l'agonie des mourants. Ce traité magnifique avait comme but secondaire, celui de réconforter les survivants, afin qu'ils ne retardent pas le départ des mourants par des pleurs et des cris, rendant ainsi très pénible le processus de « décorporation ».

La majorité des personnes rencontrées par le Dr. Moody étaient des personnes simples, qui n'avaient commis aucun méfait de nature criminelle, et elles représentent ce que la majorité d'entre nous devraient vivre dans des circonstances semblables. Elles ont vécu une expérience qu'elle qualifie de si merveilleuse qu'elles ne désiraient pas revenir sur terre. Leur corps physique ne semblait plus éprouver de malaise physique au cours de leur expérience ; elles ressentaient comme une libération de toute forme de souffrances physiques. Même l'étape du bilan de vie a été vécue en pleine sérénité, en présence d'un « être de lumière », sans auune crainte d'être jugé. Le jugement est porté par la personne elle-même, lors de ce «*passage en revue panoramique, global, en couleurs et en relief, des événements de leur vie résolue*». Les seuls critères de base pour effectuer cet examen minutieux de leur vie étaient l'amour et la connaissance.

> *Est-ce que les actes posés au cours de la vie avaient été inspirés par un sentiment d'amour gratuit ? Par ailleurs, est-ce que la personne s'était appliquée à acquérir les connaissances, les leçons de vie, la sagesse, à travers les différentes expériences de la vie ?*

À leur retour, toutes ces personnes ont modifié leur façon de vivre. Elles sont conscientes qu'elles sont sur terre pour apprendre et elles ne se rebiffent plus devant les difficultés de la vie. Elles ne sont guidées, dans leurs actions, que par le désir de transmettre le plus d'amour possible. Je connais un homme qui un jour avait parlé à sa petite fille de douze ans, de l'amour inconditionnel. Il lui expliqua qu'il s'agissait d'actes désintéressés, gratuits et totalement discrets, que l'on peut faire pour des personnes que souvent on ne connaît même pas. Elle lui demanda avec insistance s'il lui arrivait de poser de tels gestes. Il répondit dans l'affirmative mais ajouta qu'il ne pouvait les décrire, parce qu'un des éléments d'un acte d'amour inconditionnel est qu'on ne peut le mentionner à personne, même pas à sa femme ou à son enfant. Devant son insistance, il dut lui raconter l'acte d'amour inconditionnel qu'il avait fait cette journée-là. Et à chaque soir, avant de se s'endormir, sa petite exigeait un nouveau récit. Le jour de l'anniversaire du papa, la jeune fille lui remit son journal personnel sur lequel elle avait inscrit : « *L'histoire de l'amour de Papa. !* » Ils l'offrirent aux bûches du foyer, car personne ne devait en connaître le contenu.

Certaines personnes avaient expérimenté une NDE à la suite d'une tentative de suicide. Elles se considèrent très chanceuses d'avoir eu une seconde chance et de pouvoir revenir sur terre, car : « *Elles disent avoir appris au cours de leur aventure qu'elles avaient un devoir à accomplir ; elles rapportent de l'au-delà un désir de se vouer entièrement et sérieusement, aux exigences de cette vie-ci. Tandis qu'elles se trouvaient de l'autre côté, l'idée leur avait été suggérée que le suicide était un acte des plus déplorable encourant une peine sévère.* » En plus d'être témoins des peines que cet acte avait suscitées chez d'autres personnes, elles se sentaient comme pris dans un piège où elles vivaient un éternel retour des événements entourant leur suicide.

Nous pouvons tirer de ces recherches du Dr. Moody de merveilleuses leçons de vie. Nous savons que chacune de nos vies comporte des éléments de croissance à travers chacune des activités que le hasard de la vie nous propose, et que nous devrions toujours être guidés dans nos actions, par l'amour inconditionnel. Nous avons été mis sur terre pour croître et aimer. Ce sont là les seuls motifs de notre présence ici. Par ailleurs, lorsque notre mandat de vie sera terminé, nous partirons en douceur, vers un royaume de lumière où nous connaîtrons la joie, l'amour et la sainte paix ! Comment peut-on alors craindre encore la mort, à moins d'être de parfaits égoïstes ou des scélérats qui ne désirent jamais s'amender.

4.3 La personnalité humaine

Au cours de ma vie, j'ai eu la chance de pouvoir me rendre en Italie à plusieurs reprises et à chaque fois j'ai été ébloui par les merveilles que ses artistes ont créées à travers les siècles. Une des formes d'art qui m'a toujours impressionné est celui de la mosaïque et j'ai été ébahi par les œuvres magistrales que l'on retrouve aux différentes époques de l'histoire de l'Italie.

Que ce soit dans les marchés et les bains publics où les résidences impériales de l'époque romaine, ou des siècles suivants, on demeure séduit par les prouesses artistiques de ces artisans qui faisaient revivre des scènes de la vie quotidienne et de la mythologie en utilisant un matériau très simple qui, disposé de manière harmonieuse, finissait par créer des tableaux admirables et ravissants pour le regard de personnes rêvant de beauté.

L'art de la mosaïque a atteint des niveaux d'excellence exceptionnelle à partir des 5e et 6e siècles. C'est dans les édifices religieux, comme à Ravenne (Mausolée de Galla Placidia, l'église San Vitale et le Baptistère néonien), que l'on peut s'extasier devant les ordonnances géniales de ces petits cubes multicolores en marbre ou en smalt, agencés avec une habileté artistique rarement égalée, si ce n'est quelques siècles plus tard, dans les fameuses basiliques du centre de la chrétienté, comme la Basilique Sainte-Marie-Majeure (mosaïques datant du 5e et restaurées au 13e s.), ou celles de Saint Clément, de Saint Laurent et de Sainte Agnès où l'or brille de tous ses feux, à la faveur de la lueur de simples lampions ou d'un rayon de soleil qui réussit à se faufiler à travers un vitrail d'albâtre.

Quand je considère les magnificences de la constitution de la personnalité humaine, je ne puis m'empêcher de faire un parallèle avec ces prodigieux créateurs italiens. Au moment de la création de l'âme humaine, Dieu a insufflé en chacun de nous la puissance créatrice qui nous rendait semblables à Lui. Depuis, notre mission fondamentale a été similaire à celle de Dieu puisqu'elle consiste à créer. L'objet de notre œuvre est d'abord et avant tout le développement et l'édification de notre propre temple divin, à travers les divers véhicules qui constituent la personnalité humaine, et qui nous permettent d'expérimenter, dans différents plans, les leçons de sagesse pour notre propre évolution.

Le ciment qui unit chacune des petites pierres de nos expériences est l'amour inconditionnel. On finit par en connaître la composition et à pouvoir l'utiliser dans nos propres créations, à travers les étapes de l'apprentissage de l'amour. Chaque expérience de vie vécue à plein, et non pas seulement subie en maugréant, et chaque acte d'amour, constituent les matériaux nécessaires à l'édification de notre temple divin, et à la création des mosaïques de nos corps subtils supérieurs.

Sur terre nous vivons dans un niveau de vibrations excessivement bas qui est causé par notre emprisonnement temporaire dans la matière terrestre. Nous créons un enracinement à la terre, essentiel pour notre survie physique. Malheureusement, se développe aussi, de façon incontrôlée, un attachement excessif pour tout ce qui est matière et forme. Nous devenons des êtres matérialistes à outrance qui n'ont d'égard que pour un seul des véhicules de la personnalité humaine, à savoir son corps physique.

Le corps physique de l'homme est une des merveilles de la création terrestre. On n'a qu'à se pencher sur l'un des éléments de ce chef d'œuvre, comme le cerveau par exemple, constitué de plusieurs milliards de cellules, pour réaliser la splendeur du corps humain. Ce véhicule qui nous permet nos activités sur la planète terre, se nourrit et se développe par la nourriture, l'air et l'eau que la terre-mère lui prodigue quotidiennement. Sa raison d'être est de nous fournir un véhicule adéquat, pour les expériences que nous avons à vivre ici. Le corps physique est comme un manteau dont on s'est vêtu à notre arrivée sur cette planète et qui correspondait au taux de vibration de cette dernière. Au début, il était tout neuf. Avec les années, il a fini par se froisser. Il acquière les signes des âges et à un moment donné, il est usé et ne peut plus servir. On le retourne à la terre à qui il appartient, et qui nous l'avait prêté.

Nous avons considéré les recherches de Monrœ et de Moody et nous avons réalisé que l'être humain possède plus d'un corps. De fait, la personnalité humaine possède différents véhicules, aux taux vibratoires variés et exclusifs, lui permettant un accès aux différents plans de vie. Car la mort n'est pas la fin. Lorsque nous quittons la terre, nous ne faisons que transférer dans un autre plan, dans un monde en totale continuité avec le monde terrestre. Tout comme, en sens inverse, nous avons quitté un plan plus subtil, lors de notre incarnation sur la terre.

À part le plan physique, composé d'éléments essentiellement matériels au taux vibratoire très bas, nous pouvons atteindre d'autres plans, composés de matière plus subtile, comme le plan astral et le plan mental, et un autre plan, lui immatériel et complètement spirituel que le maître de la Fraternité Blanche, Omraam Mikhaël Aïvahov, nomme le « Plan Atmique ». (voir son volume : « *Regards sur l'invisible.* ») Le développement de tous nos véhicules nous donnent la possibilité, soit au cours du sommeil terrestre, soit entre deux incarnations, de pouvoir vivre dans ces autres mondes.

Il vous est sûrement arrivé de vous coucher avec un projet en tête ou une question importante, et de vous réveiller le lendemain matin avec la solution ; de là, l'expression « dormir sur un projet ». Où et comment avez-vous pu trouver cet éclair de génie, sinon que pendant votre sommeil, votre esprit a visité d'autres plans où il a trouvé la fameuse idée. Avec les expériences et l'amour, qui constituent les moteurs de notre évolution, nous réussissons à obtenir les vibrations requises pour l'entrée dans les autres plans.

De même que chacun des véhicules s'interpénètrent l'un dans l'autre, ainsi il en va des différents plans de vie plus subtils par rapport au plan physique de la terre. Dans ces autres plans il n'y a pas de notion de temps ou d'espace, de telle sorte que la personne aimée, qui est décédée et que vous cherchez à contacter, est aussi près de vous que le sont l'ange gardien qui vous accompagne et s'assure de l'exécution de votre plan de vie, ou votre Guide qui vous assiste dans les différentes décisions à prendre en cours de route. Il en est de même de chacun des véhicules, de nos corps qui sont si près les uns des autres qu'ils forment un tout. Un peu comme ces fameuses poupées russes, que l'on ouvre pour trouver à l'intérieur une autre poupée russe, et ainsi de suite. On peut aussi, pour tenter de mieux comprendre notre constitution, considérer le phénomène du hologramme.

« En 1962, nouvelle découverte due, cette fois-ci, à Leinth et Upatnieks, deux américains. Ces chercheurs reprirent les travaux de Gabor en se servant du laser. Ils obtinrent alors d'étonnantes photographies, faites sans aucune lentille et qui laissaient voir le relief sous tous leurs angles. Autrement dit, ces photos révélaient même les parties cachées de l'objet. Et chose encore plus étrange, quand on déchire l'hologramme en mille morceaux, on peut reconstituer la photo en éclairant n'importe lequel des morceaux. »

(F. de ROCHAS, *Lumières sur l'après-vie*, p.48)

En effet, l'hologramme nous permet d'obtenir une photo comportant plusieurs dimensions de l'objet photographié, espacées mais identiques et ce, même dans chacune de ses parties, lorsque la photo se brise en morceaux. De même notre personnalité comporte plusieurs véhicules qui peuvent en même temps œuvrer sur différents plans, et chacun des plans conservent l'essence de notre personnalité qui s'y exprime. Mais, n'oublions pas que toute comparaison cloche et que nous devons développer notre propre idée à ce sujet comme sur tous les autres.

Nous allons maintenant procéder à l'inventaire de ces fameux véhicules qui constituent la personnalité humaine :

1) Le corps physique, qui ne peut se développer que sur la terre, comporte un taux vibratoire très bas. Il permet à l'âme de s'incarner sur cette planète où elle peut y compléter un mandat de vie. Lorsque ce mandat est terminé, l'âme, principe unifiant des atomes et molécules du corps physique, se retire, et les éléments du corps physique sont retournés à la terre, car rien ne se perd dans l'univers. Il est le point d'ancrage pour les autres corps et ses imperfections sont le résultat de l'impact des autres corps.

2) Le corps éthérique est un véhicule d'énergie vitale pour le corps physique. Il constitue la porte d'entrée de l'énergie cosmique si importante pour la santé du corps physique qu'il entoure. Une percée, un trou dans ce corps et c'est la maladie. La médecine occidentale traite exclusivement le corps physique, car nos médecins ignorent l'existence même de ce corps subtil. Par ailleurs, la médecine énergétique orientale connaît ce corps de même que toutes ses portes d'entrés de l'énergie que l'on nomme chakras. Certaines personnes, qui ont le mandat de guérison, peuvent voir ce corps subtil et ses défaillances.

Ce corps enregistre toutes les sensations. Le corps physique perd la sensation de la douleur lorsque le corps éthérique s'échappe du corps physique. Cela peut se produire à la suite d'anesthésie ou d'abus d'alcool et de drogues. Son taux vibratoire ne lui donne accès qu'au plan physique ou au plan du bas astral ; ce qui pourrait expliquer les pénibles voyages (« bad trips ») des drogués et le « délirium tremens » des alcooliques. En effet, le plan du bas astral est le refuge des criminels et des scélérats (l'enfer), et de tous les esprits malveillants, au moment de leur mort. Au moment de notre mort, la partie inférieure du corps éthérique se désagrège peu à peu tandis que la portion supérieure se confond avec le corps astral. C'est le siège de notre mémoire.

3) Le corps astral est le véhicule de l'énergie des émotions et des sentiments qu'il enregistre. C'est le plus grand des quatre corps. Il se purifie, à travers les incarnations, par l'amour de la beauté et l'aspiration spirituelle. Les individus s'incarnent et reviennent, et reviennent pour maîtriser le monde du sentiment.

4) Le corps mental est le véhicule de l'énergie intelligente et de l'imagination, et enregistre les pensées. Il se purifie par la prière et la méditation, et permet la perception mentale.

5) *Le corps causal* est le véhicule du corps céleste, du moi supérieur, de l'âme divine. Tout ce que la personnalité humaine accomplit sur terre de positif à travers la sagesse acquise et l'amour gratuit, contribue à l'édification de son Temple de Lumière, et lorsque sa construction est complétée, l'âme reçoit l'initiation du Christ Cosmique. Ses corps supérieurs de Feu Blanc, de la présence « JE SUIS » et du Saint Moi Christique peuvent alors s'extérioriser. (Voir à ce sujet le volume *Les Maîtres ayant fait leur ascension écrivent le livre de vie)* Le corps physique ne peut plus être détruit et il est ascensionné. La personnalité devient alors semblable à celle de l'un des êtres les plus merveilleux qui ait jamais existé sur cette terre, le grand Maître Jésus, le Christ qui fut ascensionné.

Tout au cours de son évolution, la personnalité humaine obtient le privilège de l'accès aux différents plans plus subtils, à la mesure de son degré d'évolution. L'auteur Omraam Mikhaël Aïvanhov, déjà cité, décrit très bien ces différents plans.

> *« Les trois premiers corps, physique, astral, mental, sont à peu près également développés chez tous les humains. Mais pour les trois corps supérieurs (causal, bouddhique et atmique), ce n'est pas le cas, il*

existe une grande différence parmi eux. Seuls les philosophes, certains spiritualistes parviennent à s'élever jusqu'au plan mental supérieur où ils commencent à vivre dans la région sublime de la lumière...ceux qui se sont élevés jusqu'au plan causal sont les génies ; ceux qui se sont élevés jusqu'au plan bouddhique, les saints ; et enfin, ceux qui sont parvenus au sommet, c'est-à-dire jusqu'au plan atmique, sont les grands Maîtres. » **(O. M. AÏVAHOV, Op. cité, p.34 et 197)**

Selon Alice A. Bailey, tous ces véhicules se développent au cours des siècles. C'est ainsi que le corps éthérique aurait été intégré au corps physique à l'époque de la Lémurie, celui du corps astral dans l'ère de l'Atlantide et aujourd'hui, nous expérimentons la synthèse du corps mental. Ces trois époques correspondent aux phases majeures de l'évolution de l'homme sur terre : celle des Brutes, celle des Hommes ordinaires et finalement, celle des Hommes de talent. Les prochains millénaires fourniront les Génies, les Saints et les Grands Maîtres ou Initiés.

Le développement spirituel varie d'une personnalité à une autre de même que son rythme, dépendant des décisions et des actions prises par chacun d'entre nous avec notre libre arbitre. La majorité d'entre nous avons complété le développement des trois corps inférieurs (éthérique, astral et mental). Il arrive que des entités qui ont développé les corps supérieurs du corps céleste apparaissent sur terre dans des missions cosmiques bien précises. Ils sont évidemment rares et l'impact de leur passage sur terre est toujours phénoménal. À titre d'exemple, nous comptons les années aujourd'hui à partir de la naissance approximative du Grand Maître Jésus, adombré par le Christ Cosmique lors de sa venue sur terre. Son enseignement fondamental relatif à notre filiation divine et à la fraternité universelle continue d'inspirer les gens sur terre.

On retrouve aujourd'hui en Inde cette qualité d'entité spirituelle en la personne de Sathya Narayana Raju qui complète la deuxième incarnation de sa mission, en la personne de Bhagavan Sri Sathya Sai Baba. Il disparut de la terre une première fois en 1918, en la personne de Shirdi Baba et sera, dans une future incarnation, Prima Saï, afin d'établir « le paradis sur terre ». (Voir le volume d'Antonio et Sylvie CRAXI, intitulé « *L'aube d'une nouvelle ère.* »

4.4 La mort et le passage

Nous arrivons enfin à considérer ce qui se passe lorsqu'une personne décède. Bien que l'expérience de la mort soit tout à fait personnelle, et qu'elle varie d'un individu à un autre, il demeure que pour l'ensemble des humains, ce passage de la vie physique à la vie spirituelle comporte des éléments communs.

1) L'agonie

Plusieurs personnes connaissent des morts subites et accidentelles, mais la majorité des gens passent d'abord par une période d'agonie plus ou moins longue, selon qu'une personne demeure attachée aux formes terrestres soit en termes de liens affectifs profonds ou encore de dépendance en regard des biens matériels. C'est ainsi qu'un homme peut être totalement désemparé dans son agonie, si les seuls intérêts qu'il a entretenus sur terre étaient reliés à l'argent, aux possessions matérielles et à la luxure. Il lutte de toutes ses forces et bien en vain pour ne pas laisser ce qui a été le but unique de sa vie. C'est souvent dans une attitude de révolte totale et si puérile qu'il devra quitter contre son gré. Mon père avait l'habitude de dire, lorsqu'on annonçait le décès d'une personne riche et célèbre : « *On n'a jamais vu un coffre-fort suivre un corbillard !* »

Par ailleurs, une mère se sentant toujours responsable de ses enfants, éprouvera, lors de son agonie, des difficultés à se dégager et à partir définitivement. Elle peut même aller dans l'autre dimension, y percevoir une forme de beauté admirable, mais ses préoccupations maternelles la ramènent dans son corps physique. Elle vit un dilemme très pénible qui s'accentue si les êtres chers la retiennent par leurs pleurs et leurs cris de désespoir face à la mort prochaine de leur mère.

Nous croyons souvent que notre désolation, lors de la mort d'une personne que l'on aime, est un signe d'affection et de piété filiale, alors que son effet est tout le contraire de ce qu'une personne vraiment remplie d'amour voudrait sincèrement donner à la personne chérie qui essaie avec peine d'opérer sa transition, de vivre sa mort. Dans certaines cultures on va même jusqu'à embaucher des pleureuses professionnelles pour les cérémonies funèbres. C'est souvent plus par ignorance de ce qui se passe au moment de l'agonie que mus par un sentiment d'égoïsme, que les survivants infligent autant de trouble à la personne qui les quitte.

La meilleure façon de venir en aide à ceux qu'on aime, dans cette pénible expérience, c'est de prier pour eux et de les encourager, en les libérant de leurs responsabilités face à nous. C'est le temps de les bénir, de les remercier pour tout ce qu'ils ont fait pour nous, et de leur souhaiter un repos bien mérité dans le ciel, où les attendent les êtres chers qui y sont déjà. C'est aussi le moment de leur dire tout notre amour et de les couvrir d'une tendre affection qui sera le baume de leur agonie. Enfin, une simple présence chaleureuse, une dernière poignée de main sincère, sans paroles ni gestes, peut suffire pour les aider à supporter la terrible solitude de la mort. Ce sentiment d'isolement suscite tellement d'angoisse devant l'inconnu. Car la mort demeure une énigme formidable, parce que très souvent on n'a pas voulu l'envisager et s'y préparer au cours de notre vie.

2) La mort

Les personnes qui au cours de leur vie se sont penchées avec sincérité et honnêteté sur le phénomène de la mort en demandant, par exemple, l'assistance des êtres de lumière pendant leur méditation sur ce thème, réalisent une transition toute en douceur. Considérons les témoignages de deux personnes qui possédaient des qualités médiumniques au cours de leur dernière incarnation et qui continuent, après leur propre mort, d'assurer le contact entre le monde des esprits et notre monde physique, maintenant qu'ils ont atteint à leur tour, l'autre dimension. Le premier texte nous vient de Mgr. Robert Hugh Benson d'Angleterre qui au cours de sa vie terrestre possédait la « double vue », cette faculté qui permet à certains être humains d'avoir des contacts avec le monde de l'au-delà.

Malgré ses propres expériences, qui l'informaient du contraire, il continua d'enseigner selon l'orthodoxie de l'église à laquelle il appartenait et d'attribuer ce phénomène à une cause diabolique. Après avoir réalisé sa transition en 1914, il fut pris d'un profond remords pour les erreurs de l'église qu'il avait lui-même véhiculées. C'est ainsi qu'il décida de rectifier son enseignement à partir de sa propre expérience de la mort. Sa décision, autorisée par ses maîtres de l'au-delà, nous a valu ce magnifique volume qu'il a dicté à un de ses excellents amis, Anthony Borgia, qui possède lui aussi des facultés médiumniques. Ce volume a été publié d'abord en version anglaise , en 1954, sous le titre de *« Life in the World Unseen »* et il s'intitule, dans sa version française : *« Ma vie au Paradis »*.

> *« Peu de temps avant mon décès, j'eus le pressentiment que mes jours sur la terre étaient comptés. J'étais couché dans mon lit, l'esprit appesanti, comme si j'étais ivre. Souvent, j'eus la sensation de m'en aller en flottant, puis de rentrer doucement dans mon corps...Pendant mes intervalles lucides, je n'éprouvais aucun malaise physique, j'étais conscient de ce qui se passait autour de moi, et même je « sentais » la peine que mon état causait à mes proches. Et pourtant, je ressentais une joie extraordinaire. Je savais avec certitude que le moment était venu de mourir, et j'étais plein du désir de m'en aller. Je n'avais pas de craintes, pas d'appréhensions, pas de doutes, pas de regrets de quitter le monde terrestre. Soudain une impulsion à m'élever m'envahit. Je ne ressentais rien physiquement, exactement comme quand on rêve...Je me retournai et alors je pus voir ce qui se produisait. Mon corps physique était étendu sans vie sur mon lit, ce qui ne m'empêchait pas, moi, l'être réel,*

d'être là, plein de vie et parfaitement à mon aise...À aucun moment, je ne me suis senti affligé, mais je me demandais ce qui allait maintenant m'arriver. J'avais repris possession de toutes mes facultés, et, vraiment, j'avais l'impression de vivre, physiquement, comme je n'avais jamais vécu auparavant. »
(Anthony BORGIA, Op. cité, p16-17)

Et maintenant ce témoignage du grand médium Arthur Ford, disparu en 1971, dans un compte rendu de la vie au-delà du portail que l'homme désigne sous le nom de « mort » et tel que transmis, par la voie médiumnique de l'écriture automatique, à une de ses amies terrestres, Ruth Montgomery :

« Parfois le passage d'un monde à l'autre est aussi coulant, aussi léger que le souffle d'une brise estivale. Tel a été mon cas ; et cela parce que je savais vaguement ce qui m'attendait et que je n'avais aucune objection à me dépouiller de cette enveloppe terrestre que constituait mon corps souffrant. La douleur cessa brusquement tandis que l'âme s'envolait vers des contrées mystérieuses et lointaines. Je me trouvai alors plongé au sein d'une beauté que votre imagination est incapable de concevoir. Ici, nul n'est besoin de confort physique ; seule restait l'infinie beauté du monde. »
(Ruth MONTGOMERY, *Au-delà de notre monde*, p.20-21)

C'est l'âme qui commande « le retrait », lorsque notre heure est arrivée, mais pas avant. Le temps de notre incarnation présente est déjà fixé avant notre départ du paradis et il nous est bien difficile d'en modifier les paramètres.

Même les personnes qui ont fait des tentatives de suicide nous le disent. Il semble que malgré les moyens extrêmes pris pour s'enlever la vie, elles sont toujours vivantes, parce que leur mandat de vie terrestre n'était pas terminé, et qu'on leur a donné une seconde chance de le réaliser.

Il y a quelques jours, j'ai rencontré une personne qui se promenait avec des béquilles. Nous avons commencé la conversation et, à un moment donné, je lui ai demandé s'il avait eu un accident alors qu'il pratiquait le ski. Il me fit pour réponse qu'il avait tenté de se suicider en se jetant devant une rame de wagons de métro. Lorsqu'il a atteint le plancher des rails, il est tombé sur le dos. Il a vu les wagons passer au-dessus de sa tête. Le diagnostic a été très minime, compte tenu des circonstances : une cheville de brisée de même que quelques côtes ainsi que le tibia gauche. Ou encore cette autre personne qui a voulu mourir en utilisant le gaz de son poêle. Comme il trouvait que la mort ne venait pas assez vite, il a retiré sa tête du fourneau. Il s'est allumé une cigarette et il a ainsi provoqué une explosion qui lui a laissé de profondes brûlures sur les mains et les bras. Il a décidé alors d'en finir avec la vie en se jetant du haut du troisième étage de son building pour arriver à l'urgence d'un hôpital, les deux jambes et quelques côtes de brisées.

Alors, lorsque la fin de notre vie terrestre est arrivée, nous nous retirons de notre corps physique qui commence immédiatement à dégénérer, puisque le principe qui tenait ensemble toutes ses cellules n'est plus là. L'énergie vitale se retire dans les corps plus subtils et nous assistons à notre propre mort, en ce sens que nous pouvons voir notre corps sans vie, et entendre les commentaires des personnes présentes. Nous sommes alors assistés par notre Guide et notre Ange gardien dans cette expérience si étrange pour la très grande majorité.

Pour ceux qui ne croient pas en l'au-delà, tout comme pour les personnes qui ont développé une trop grande dépendance aux formes terrestres, comme les biens matériels ou les liens affectifs, de même que les personnes qui se suicident, ils doivent évidemment vivre une période de trouble. En effet, ils se voient toujours très vivants et cherchent à continuer leurs contacts avec les éléments de leur dépendance. Malheureusement, leurs efforts sont inutiles et certains d'entre eux peuvent continuer à errer ainsi près de nous pendant des périodes plus ou moins longues. S'il nous arrive de contacter ces esprits égarés, nous pouvons les aider en priant pour eux et en leur suggérant de demander l'aide des êtres de lumière afin qu'ils puissent trouver le chemin qui leur apportera la liberté et la paix.

Lorsque nous sortons de notre corps pendant notre sommeil ou lors d'un voyage astral, « la corde d'argent » assure notre retour. Ce câble est brisé au moment de la mort et nous ne pouvons plus réintégrer le corps physique. Nous pénétrons alors un tunnel qui nous attire et qui nous mènera dans le monde spirituel. Ce tunnel nous permet d'éviter les mondes inférieurs. Nous nous sentons attirés par une merveilleuse lumière dans laquelle nous ressentons un sentiment d'amour merveilleux. En cours de route, l'énergie vitale s'est finalement retirée de nos corps inférieurs dans notre corps céleste. Les criminels et les scélérats non repentis n'ont pas accès à ce tunnel ; ils se retrouvent dans les mondes inférieurs qui correspondent à ce qu'on pourrait qualifier d'enfer et dont nous traiterons davantage dans le prochain chapitre.

Pour une part d'entre nous, à l'instant où nous avons franchi le fameux tunnel, nous sommes accueillis par les êtres chers qui nous ont précédé au ciel. Ce sont des retrouvailles vraiment chaleureuses. Nous assistons avec ces personnes à nos propres funérailles. Nous sommes peinés alors par la douleur des survivants, mais encore plus s'ils nous croient « morts », c'est-à-dire sans vie et malheureux, alors que nous ne nous sommes jamais sentis aussi vivants et aussi heureux. Si les êtres humains savaient ce qui se passe au moment de la mort, ils réaliseraient que c'est la naissance qui installe l'âme dans une vraie prison, alors que la mort est le premier pas vers sa libération. On se retrouve comme dans un rêve, alors que c'est la plus belle réalité.

Et, il y a les personnes qui connaissent une mort subite, suite à un accident ou à une défaillance cardiaque mortelle. Celles qui ont une certaine notion du phénomène de transition par la mort physique se réveillent rapidement dans leur corps spirituel, tandis que pour énormément d'autres, à cause de leur ignorance, elles sont plongées dans un profond sommeil. Si les corps physique et éthérique ont été endommagés par la maladie ou un accident, ces entités humaines sont dirigées vers les infirmeries célestes où des soins leur sont donnés par les médecins, les infirmières et les infirmiers du ciel, spécialistes du corps spirituel. Il en est de même pour les âmes qui sont perturbées et confuses, parce qu'elles n'ont aucune idée de ce qu'est le monde spirituel, ou encore parce qu'elles en ont une idée tellement fausse qu'elles ne sauraient réaliser qu'elles y sont rendues. Elles sont prises en charge par des âmes bienveillantes qui connaissent, par expérience, les caractéristiques du monde terrestre et du monde céleste. Elles connaissent aussi tous les préjugés du subconscient enseignés par les nombreuses religions qui retardent l'acclimatation au monde spirituel.

La plupart des religions sont tellement ignorantes quand il s'agit de la vie de l'au-delà. Elles se sont enfermées dans des dogmes absurdes dont elles sont esclaves et qui les empêchent d'atteindre la vérité par rapport au monde spirituel. Le dogme le plus néfaste qu'elles véhiculent est celui qui rend Dieu responsable de notre « fin dernière », qu'elles limitent à une vie oisive et ennuyante de concerts angéliques pour les rares élus, ou à une rôtisserie infernale et éternelle pour la majorité des damnés. Rappelez-vous le fameux « Dies Irae » (Jour de Colère), qu'on a enfin banni de l'ensemble des églises catholiques, pour les funérailles d'aujourd'hui.

Si nous désirons avoir une petite idée de la façon dont nous vivrons, chacun d'entre nous, ce passage de la vie physique à celui de la vie spirituelle, nous pouvons méditer, avec l'aide de notre Guide, sur notre vie actuelle et sur son dernier jour, en considérant le degré de pureté de notre foi, de notre espérance et de notre charité.

Nous terminons ce chapitre sur la transition par une réflexion d'Allan Kardec :

« La mort n'inspire au juste aucune crainte, parce qu'avec la foi il a la certitude de l'avenir ; l'espérance lui fait attendre une vie meilleure, et la charité dont il a pratiqué la loi lui donne l'assurance qu'il rencontrera dans le monde où il va entrer

aucun être dont il a à redouter le regard ...au moment de la mort : le doute pour les sceptiques endurcis, la crainte pour les coupables, l'espérance pour les hommes de bien. »

(Allan KARDEC, *Le livre des esprits*, p.377 et 386)

5 L'AUTRE DIMENSION

Par un bel après-midi d'été, je me suis laissé attiré par le jardin botanique de la ville. Je me promenais à travers ses allées gorgées des parfums que m'envoyaient les radieuses fleurs multicolores de la roseraie, dans un élan irrésistible de séduction. Le chant mélodieux des oiseaux s'unissait au soupir léger du feuillage des arbres pour me bercer dans un ravissement que je goûtais pleinement. Et je me suis mis à observer les autres personnes présentes dans ce parc qui étalait sa magnificence et à espérer qu'elles fussent toutes aussi émues par autant de splendeur.

La première personne qui attira mon regard fut un livreur. Il pénétra avec son camion dans le parc et se dirigea vers le restaurant. Il sortit machinalement des boîtes qu'il venait livrer, sans qu'un seul de ses regards ne se porte sur les arrangements floraux et la scintillante fontaine du jardin. Il avait l'air d'une personne qui en avait vu d'autres et qui ne se laissait pas distraire facilement de son travail qu'il exécutait à la hâte. Comme tout bon camionneur macho, il hésita quelques secondes avant de remonter dans son véhicule et il siffla son admiration à des jeunes filles qui passaient devant lui et qui l'ignorèrent totalement. Il leva sa casquette pour s'éponger le front avec ses doigts de prédateur en esquissant un sourire vulgaire. Il quitta rapidement l'enceinte du parc.

Après cette distraction sans grand intérêt mais significative, mon attention se porta vers deux enfants dont les élans d'admiration s'élevaient jusqu'à mes oreilles attentives. C'étaient des Ho ! et des Ha ! à chaque allée nouvelle où ils pénétraient avec leur père qui les informait, volume à l'appui, des propriétés des plantes et des fleurs qu'ils ne se lassaient pas d'admirer.

Les enfants finirent par se rendre jusqu'à un petit lac où des canards hardis courraient vers eux. Il était interdit de nourrir les animaux. Mais, les enfants auraient bien aimé leur donner quelques récompenses pour leur accueil chaleureux. Je les fis alors mes complices et je remis aux enfants les arachides que j'avais apportées pour les écureuils. C'est mon petit côté délinquant que je continue de cultiver. Il suffit qu'une action soit interdite pour que j'aie le désir de l'exécuter sur le champ.

C'est sans doute un reliquat de la notion de péché qui m'a poursuivi pendant mon adolescence et qui rendait certains gestes si invitants et excitants justement parce qu'ils étaient prohibés par la sainte vertu. Par exemple, durant mes années de collège, les fréquentations étaient condamnées par nos maîtres qui s'affolaient à chaque fois qu'un étudiant était surpris au bras d'une jeune fille. Si par malheur on rencontrait un professeur sur la rue, on s'empressait de présenter la demoiselle comme étant notre cousine, de peur de subir les foudres du préfet de discipline ou du supérieur du collège. Je me souviens qu'à l'époque de mes quatorze ans j'avais été, avec crainte et tellement de plaisir, à mon premier « party » avec des filles, un samedi soir. Le dimanche après la messe, le préfet, qui avait ses espions parmi nous, avait téléphoné à ma mère pour s'assurer qu'elle était bel et bien au courant de ma soirée élégante et si peu digne d'un élève docile et pieux. Ma mère lui avait rétorqué qu'il était tout à fait normal que de jeunes garçons rencontrent à l'occasion des jeunes filles.

Ce n'était pas le point de vue des autorités ecclésiastiques et je n'oublierai jamais le sermon auquel nous avons eu droit lors de la retraite annuelle. Le prédicateur, qui était de l'œuvre des vocations, avait cherché à nous impressionner en criant du haut de la chair que les jeunes filles étaient les suppôts de Satan et qu'elles venaient voler le calice des mains des futurs prêtres. J'avais beau être docile et pieux, je trouvais qu'il charriait ce curé, car j'avais dix sœurs chez nous et aucune d'elles n'avaient jamais apporté de calice à la maison, ni même d'ornement sacerdotal ! Enfin ! Autres temps, autres mœurs. N'empêche qu'à certains égards, j'ai eu une bien drôle d'éducation.

Dans le jardin botanique, il y avait aussi ce couple d'amoureux dont les sens étaient excités, en partie, par tous ces parfums qui s'élevaient du sol. Ils cadraient tellement bien dans ce décor splendide. Je leur ai envoyé de belles pensées d'amour afin que leur euphorie dure le plus longtemps possible. Finalement, comme j'étais un peu fatigué, j'ai décidé d'aller me reposer près des bassins d'eau où l'on trouve les rares et merveilleux lotus si rafraîchissants. Assise, sur le bord d'une fontaine, il y avait une jeune fille qui semblait en méditation devant ces fleurs, symboles de la vie spirituelle. Elle demeura ainsi, en total ravissement, pendant plus de quinze minutes, sans bouger, sans être distraite comme si elle ne faisait qu'un avec ces nénuphars de Chine. J'avais l'impression que son âme était à l'unisson de la lumière intérieure et des sons merveilleux que la nature inspire aux personnes qui la pénètrent pour mieux méditer.

5.1 Les mondes supérieurs

Si nous imaginons tous ces personnages, incluant mes maîtres du collège, présents dans le monde de l'au-delà, il me semble logique que chaque personne ait une découverte du ciel qui sera tributaire de ses propres idées au sujet de cet autre monde. Elle sera aussi susceptible d'y goûter les réalités auxquelles elle s'est déjà quelque peu initiée lors de son passage sur terre. Car, il existe une certaine continuité entre les deux mondes.

Le psychiatre C.G. Jung a osé nous livrer ses réflexions sur la vie après la mort et il nous suggère, entre autre, que : « *les représentations que les hommes se font de l'au-delà sont déterminées par leurs désirs et leurs préjugés...et que le monde, dans lequel nous entrons après la mort, sera grandiose et effrayant, à l'instar de la divinité et de la nature que nous connaissons.* » (C.G. JUNG, *« Ma vie »*, p. 364-365) Et j'ajouterais que ces désirs et préjugés continuent de nous accompagner, pour un certain temps, après notre passage dans l'au-delà. Alors, on peut très bien imaginer, tout comme dans le jardin botanique, que différentes personnes auront une perception et une vie différentes dans le monde de l'au-delà, en fonction de leurs propres aspirations et de leur propre évolution.

Un de mes professeurs, qui aimait nous parler du ciel, nous disait souvent : « *Lorsque vous arriverez au ciel, vous aurez trois surprises : la première est que vous serez surpris de ne pas y voir les personnes que vous croyez assez saintes pour y être ; la deuxième, d'y rencontrer des gens que vous aviez jugées indignes de cette récompense ; et la troisième, d'y être vous-même.* »

Comment présenter la vie des personnes qui ont fait leur transition et qui vivent maintenant dans le monde supérieur, compte tenu du fait que chaque vie est individuelle et différente, et tributaire de sa propre évolution spirituelle ? Il existe certes des lieux communs à tous, régis par certaines règles, comme pour l'environnement physique plus subtil ou les manières de communiquer entre les habitants de ces mondes. Par contre, notre arrivée dans l'au-delà sera vécu différemment par chacun de nous de même que notre évolution. Dès lors, j'ai choisi de vous présenter une partie de la vie au Ciel, à travers différents personnages que j'ai créés à partir des témoignages contenus dans les volumes d'Anthony BORGIA (*Ma vie au Paradis*), et celui de Ruth MONTGOMERY (*Au-delà de notre monde*).

PIERRETTE

Pierrette est morte deux mois à peine après son arrivée sur terre. Bien que sa naissance n'avait pas été planifiée ni désirée par ses parents, elle fut accueillie avec beaucoup d'amour par le couple de nouveaux parents. Son départ fut ressenti avec douleur, mais il eut un effet bénéfique puisque son père et sa mère décidèrent d'avoir des enfants par après. C'est ainsi qu'ils permirent à quatre âmes merveilleuses de pouvoir s'incarner au cours de leur vie et de vivre ainsi une vie familiale très enrichissante.

Au moment de son décès, sa transition dans l'au-delà fut très rapide et sa désincarnation sans histoire. Elle fut immédiatement reçue par une infirmière du ciel qui l'amena à l'hôpital céleste, afin que son corps spirituel soit débarrassé des résidus de la maladie terrestre qui avait causé sa mort à un si jeune âge. Par après, elle fut confiée à la garderie du ciel où des personnes spécialisées dans l'éducation des enfants des cieux la prirent en charge.

Étant donné qu'elle avait quitté le ciel pour un court laps de temps, son évolution fut très rapide et avant peu de temps terrestre elle était un enfant plus âgé, capable de s'occuper des plus jeunes résidents. La garderie est à l'écart des autres centres du ciel et on pouvait la voir se promener avec quelques enfants dans ce monde fait pour les marmots. Ils y habitent des maisons minuscules construites à leur dimension dans des matériaux semblables à l'albâtre et teintées des couleurs de l'arc-en-ciel. Chaque enfant reçoit une instruction dans un domaine particulier jusqu'à l'âge de dix-sept ans, après quoi il choisit soit de retourner sur terre temporairement, ou de faire un type de travail utile. Leur croissance est beaucoup plus rapide que sur terre, car leur mémoire est infaillible et ils ne connaissent jamais la fatigue.

Lorsque notre corps physique dort sur terre, notre corps spirituel s'en sépare à l'occasion, bien qu'il y demeure lié par une corde d'argent. Nous pouvons alors visiter le monde céleste et si les liens qui nous unissent à nos enfants décédés peuvent leur être bénéfiques, il nous est permis de les visiter. C'est ainsi, qu'à certains moments prévus pour cela, il y a les visites des parents terrestres. Malheureusement, très peu de personnes se souviennent à leur réveil de ces voyages nocturnes merveilleux. Cela est ainsi pour nous permettre de vivre pleinement notre vie terrestre qui est si importante pour notre évolution personnelle et de ne pas passer notre temps, la tête dans les nuages. Ces visites nous permettent de voir l'évolution de nos enfants et de les reconnaître lorsque vient le temps pour nous d'effectuer notre propre transition.

RUTH

Lorsqu'elle vivait sur terre, Ruth avait reçu de ses parents une éducation où la liberté de pensée constituait un des piliers de sa formation. Comme ils ne fréquentaient aucune église, son esprit n'avait pas été programmé par aucun dogme ou mythe populaires, à l'époque où elle vécut sur terre. Certains théologiens moralistes lui auraient prédit tous les dangers et périls d'une vie aussi peu conventionnelle et une fin dernière malheureuse. Et pourtant, lors de sa mort, qui survint après un accident de voiture, Ruth fut amenée dans les dimensions supérieures, à cause de sa vie remplie d'amour et de tendresse envers ses merveilleux parents, et les personnes que le hasard de la vie avait mises sur son chemin.

Ruth croyait en un Dieu avec qui elle entretenait une communication très simple et régulière, surtout lorsqu'elle se trouvait dans la nature qui constitue le plus beau temple non construit par les mains des hommes. Elle croyait aussi en un ciel où la majorité des humains devaient aller à la fin de leur périple terrestre, mais avait une idée très vague sur sa nature. Comme elle était musicienne, elle espérait seulement pouvoir y continuer son apprentissage et sa maîtrise du piano, et y jouer les concertos qu'elle n'avait pu encore apprendre sur terre.

Ses parents avaient été peinés par son soudain départ mais ils l'aidèrent dans sa transition par leurs pensées d'amour et leur deuil qu'ils vécurent sobrement. Ils remercièrent seulement Dieu de leur avoir confié temporairement une si belle âme et lui souhaitèrent une arrivée paisible dans l'autre dimension. Ils n'avaient aucune crainte face à la mort qu'ils avaient apprivoisée lors de sessions de spiritisme, populaires dans la partie de l'Angleterre où ils vivaient.

Lors de son arrivée dans l'au-delà, Ruth fut amenée à l'hôpital car son corps spirituel devait recevoir les soins rendus nécessaires à cause de son accident mortel. Elle y demeura peu de temps dans un profond sommeil, pendant que sa grand-mère et un ami attendaient son réveil pour l'initier aux beautés de son nouvel univers. Puis vint ce moment privilégié où elle s'éveilla aux réalités de la vie céleste. L'infirmière lui expliqua qu'elle avait quitté la terre à la suite de son accident et qu'elle se trouvait maintenant au paradis où l'attendaient des personnes qui l'aimaient.

À sa sortie de l'hôpital, Ruth aperçut sa grand-mère Edith et son ami Bernard, dans un jardin magnifique attenant à cet édifice. Elle les embrassa et ils lui dirent tout le bonheur qu'ils avaient de la revoir. Elle sentait son corps revigoré et plein de santé et se demanda si elle était vraiment rendue au ciel. Bernard, lut dans ses pensées et lui dit qu'elle était dans le monde supérieur, et qu'il serait bien heureux de lui servir de guide.

Elle fut immédiatement séduite par la clarté et la pureté de l'atmosphère, et par les couleurs exceptionnelles des jardins. Elle se pencha vers une rose et se laissa conquérir par la beauté de sa couleur. Elle sut instinctivement, à cause de son tempérament doux et réceptif, qu'elle avait su développer sur terre, qu'elle ne pouvait couper cette fleur magnifique. Elle entoura de ses mains cette fleur merveilleuse et elle reçut alors une énergie bienfaisante dans ses mains et ses bras. En même temps, elle entendit les sons mélodieux que la rose lui envoyait. Comme elle avait une formation musicale elle pouvait, mieux que d'autres, apprécier les couleurs et les sons qui sont étroitement liés entre eux au ciel. Sa grand-mère se réjouissait de son émerveillement et de ses premiers pas dans l'au-delà. Elle lui proposa une marche vers un cours d'eau et nos trois amis partirent paisiblement vers le ruisseau, situé à quelques centaines de mètres de là.

En cours de route elle fit remarquer à Bernard qu'elle avait eu l'impression qu'il avait lu dans ses pensées. Il lui expliqua le phénomène de la communication dans l'autre monde. Lorsqu'on désire rencontrer une personne, notre pensée la rejoint pour d'abord s'enquérir de sa disponibilité, car on ne saurait s'imposer aux personnes qui ne sont pas libres ou qui ne désirent pas nous voir, au moment précis ou nous-mêmes éprouvons le désir de les rencontrer. La personne reçoit notre message et nous répond, par la pensée, lorsqu'elle devient prête à nous recevoir. Il n'y a pas de service téléphonique et nous communiquons directement. Par ailleurs, lorsque nous sommes en présence d'une personne, nous utilisons, pour communiquer, une langue connue des deux, sinon nous communiquons par la pensée. Ainsi nous pouvons communiquer avec n'importe qui dans l'autre dimension.

Ils arrivèrent près du ruisseau où l'eau était d'une pureté attirante. Ruth eut un désir instantané d'y pénétrer et d'y plonger ses mains pour asperger son visage comme elle l'avait fait si souvent sur terre. Elle s'exécuta sous le regard bienveillant de ses amis et reçut à nouveau une énergie revigorante. En plus, les vaguelettes qu'elle créait produisaient des accords musicaux si doux à l'oreille. Edith l'informa qu'au ciel, les entités humaines sont en totale harmonie avec la nature qui permet au corps de se régénérer complètement, au point de nous redonner la jeunesse de nos trente-cinq ans. Il en serait de même avec tous les animaux qu'elle y rencontrerait.

Pendant qu'elle parlait, Edith se transforma complètement. Ses cheveux blancs prirent une couleur de miel qui était celle qu'elle avait lorsqu'elle était jeune sur terre. Son visage devint rose comme une pêche et il perdit toute trace de vieillissement. Le changement était tellement grandiose que Ruth eut peine à reconnaître sa grand-mère bien-aimée. Elle avait maintenant devant elle une jeune femme à qui on n'aurait donné pas plus de trente-cinq ans d'âge. Edith se mit à rire en voyant les yeux ébahis de Ruth et elle lui dit qu'elle avait revêtu son corps de grand-mère pour l'accueillir, afin qu'elle ne soit pas trop dépaysée, et qu'elle puisse la reconnaître. C'était maintenant inutile et elle pouvait reprendre son corps céleste qui s'était complètement transformé depuis qu'elle était au paradis. En même temps, ses vêtements terrestres disparurent et elle se para d'une robe magnifique. Bernard fit de même et Ruth put admirer la splendide ceinture de couleur bleu qu'il portait.

Ses amis lui expliquèrent comment revêtir sa robe céleste. Il suffisait de le désirer par la pensée et le tour était joué. Les vêtements de Ruth disparurent et au même moment elle fut recouverte d'une robe de soie blanche et, sur ses hanches, brillait de tous ses feux, une étincelante ceinture dorée. Bernard lui expliqua que dans ce monde le vêtement représentait notre évolution spirituelle et que toute récompense devait être méritée. La ceinture dorée et la qualité de tissus de la robe de Ruth lui avait été octroyées, à la suite d'une incarnation précédente alors qu'elle était morte en donnant sa vie pour sauver des milliers d'enfants atteints d'une maladie très grave. Il ajouta qu'au ciel, l'honnêteté était une qualité absolue et que personne ne pouvait essayer d'impressionner qui que ce soit, car notre véritable valeur est inscrite dans notre visage et les vêtements célestes que nous pouvons porter, selon notre niveau d'évolution. Edith ajouta, que dans cette dimension, l'envie et la jalousie n'existaient pas. C'est pourquoi, elle avait désiré voir au plus tôt le splendide vêtement céleste de sa petite fille.

Edith invita ses deux amis à visiter sa maison. Elle suggéra de s'y rendre rapidement et elle disparut aussitôt. Bernard initia Ruth au moyen rapide de déplacement en lui suggérant de désirer, par la pensée, de se retrouver immédiatement auprès de sa grand-mère. Ruth se ferma les yeux et pensa intensément à sa grand-mère et, en un éclair de temps, nos trois amis se retrouvèrent dans le salon d'Edith. Ruth n'en revenait pas.

Elle fut encore plus surprise de se retrouver dans une maison qui ressemblait étrangement à la maison de sa grand-mère, sur terre. Elle se mit aussitôt à la visiter, pour se rendre compte que c'était bel et bien la maison de ses grands-parents, avec la différence que celle-ci n'avait pas subi les attaques du temps et des intempéries terrestres. De plus, certaines pièces, inutiles au paradis, comme une cuisine ou une salle à manger, étaient absentes. Elle revint au salon et regarda par la fenêtre, pour voir si elle apercevrait son prunier favori. Eh ! bien, il était là, et parfait dans sa structure, avec de magnifiques fruits mûrs. Elle sortit pour cueillir un fruit et resta bouche bée, lorsqu'elle réalisa qu'à l'endroit où elle avait récolté son fruit une autre prune naissait à l'instant même. Elle accourut raconter son expérience au salon et pendant qu'elle dégustait ce délicieux fruit rempli d'énergie réconfortante, elle remarqua quelques gouttes du jus qui glissaient sur sa robe immaculée. Les gouttelettes disparurent aussitôt car au ciel, rien ne se perd et tout retourne à sa source, répondant ainsi à une loi de magnétisme inconnue sur terre.

Ruth demanda à Edith si au ciel elle avait finalement eu des nouvelles de son grand-père. Edith lui répondit, un peu peinée, qu'elle ne l'avait vu qu'à une reprise, lorsqu'un être de lumière lui avait fait visiter les mondes inférieurs où il croupissait depuis son départ de la terre. Le grand-père John avait mené, au cours de son dernier passage sur terre, un vie de débauche où l'argent, les femmes et le crime avaient été son univers. Il avait abandonné Edith avec ses quatre enfants qu'elle avait du éduquer seule et avec beaucoup de peine. Ruth était malheureuse pour son grand-père qu'elle n'avait de fait pas connu. Mais elle sut instinctivement qu'elle ne pouvait rien faire pour lui, sinon lui envoyer des pensées d'amour. Elle éprouva une légère fatigue, comme elle se trouvait au ciel depuis peu de temps. Edith lui suggéra de s'étendre et de se reposer.

À son réveil, Ruth exprima le désir de se retrouver seule sur le bord de la mer. Elle quitta Edith, car elle voulait aller méditer. Elle se retrouva à l'instant sur une superbe plage où elle pouvait admirer les bateaux qui glissaient sur l'eau. Elle prit contact dans son cœur avec le Créateur de toutes ces merveilles, pour le bénir et lui exprimer sa gratitude. Elle demanda à Dieu de l'inspirer sur les activités qu'elle pourrait entreprendre car c'était une personne vaillante. Au moment de terminer sa méditation et sa prière, elle aperçut, assis à ses côtés, un être d'une rare beauté, vêtu d'une robe d'une richesse comme elle n'en n'avait pas encore vue. C'était un être de lumière, envoyé par Dieu, d'une sphère céleste plus élevée, qui l'assista dans le choix de ses activités principales.

Il repassèrent ensemble le film de sa dernière vie de même que ceux de ses incarnations antérieures, afin de déterminer où elle était rendue dans son évolution spirituelle. Après l'avoir encouragée, il se dirigèrent vers les Maisons du Savoir. C'étaient les écoles du ciel où l'on enseignait les différents métiers utiles au ciel et sur terre. Ruth choisit la Maison de la Musique. C'est là qu'elle perfectionna ses connaissances et ses habiletés musicales, au point de devenir une virtuose du piano, apte à se produire avec les orchestres célestes. Elle eut comme maîtres les plus grands musiciens de l'histoire de la terre qui se trouvaient au ciel et qui continuaient leurs études géniales. Ils aimaient tellement communiquer leur art, et ils avaient beaucoup d'étudiants.

Comme seconde activité, Ruth entreprit, dans le Temple de la Sagesse, une formation qui lui permit de rendre service aux entités humaines qui avaient aboutit dans les mondes inférieurs, à cause de leurs graves erreurs commises lors de leur dernière incarnation. Ces mondes inférieurs seraient considérés par plusieurs humains comme un enfer, bien que les flammes y soient absentes. Ruth a démontré beaucoup de sollicitude envers son grand-père qui pour la première fois semblait finalement manifester un certain remords.

JEAN

Pendant son séjour terrestre, Jean était considéré par ses confrères du clergé comme un intégriste. Il surveillait sa propre église, afin de la protéger contre les idées nouvelles engendrées par le dernier Concile qui avait apporté dans l'église catholique un souffle de renouveau. Tout changement, même celui ordonné par la hiérarchie était, selon lui, inspiré du diable. Son évêque avait du lui interdire le droit de prêcher à la suite d'une dernière homélie, alors qu'il avait parlé de la présence de l'Antéchrist au sein de la Curie romaine.

Ses idées sur l'au-delà étaient tout aussi négatives. Il croyait qu'à sa mort son corps, avec son âme, allaient être enterrés, jusqu'à la fin des temps, précédée par l'apocalypse. Tous les morts ressusciteraient alors, pour le jugement dernier et il espérait faire partie des 144,000 élus qui iraient au ciel tandis, que le reste du monde serait jeté dans les flammes éternelles. La peur de l'Enfer lui faisait passer des nuits blanches pendant lesquelles il flagellait ses chairs pour ne pas succomber aux tentations qui l'assaillaient régulièrement. Mais, plus il se privait, plus il était tenté.

À l'âge de soixante-cinq ans, il fut atteint d'un cancer au cerveau qui se propagea lentement à tous les organes vitaux de son corps. Comme il croyait qu'il devait accepter les souffrances en vue d'expier ses péchés, il refusait toute drogue qui aurait pu alléger ses douleurs et mettre fin à son calvaire. Lorsque la mort vint le délivrer de son tourment, il refusa les conseils de son guide spirituel qui l'amena finalement à l'hôpital. Son corps céleste avait besoin de soins et d'un grand repos après une maladie aussi féroce. Il demeura longtemps endormi sous l'œil attentif des médecins du ciel.

Lorsque Jean se réveilla, il n'écouta pas ceux qui essayaient de lui faire réaliser qu'il était maintenant au paradis. Il répondit à certains qu'ils étaient des suppôts de Satan, puisque son état ne correspondait en rien aux idées qu'ils s'étaient faites sur l'au-delà. Il n'avait pas encore vu le jugement dernier. Il ne pouvait donc pas être au ciel ! Il trouva une église où les gens allaient à la messe parce que dans leur esprit c'est ainsi que devait être le ciel. Il y faisait les mêmes sermons que sur terre et il exhortait les âmes qui le suivaient au repentir, sinon il mériteraient la damnation éternelle.

Puis un jour, il rencontra un cordonnier avec lequel il se lia d'amitié. Ce dernier réussit à le convaincre de suivre des cours sur les lois divines qu'il eut beaucoup de peine à assimiler au début. Finalement, il écouta la voix de sa conscience intérieure et put accepter l'enseignement que les maîtres spirituels lui donnaient. C'est lors de la célébration de la fête de Noël, qui correspondait avec celle qui avait lieu sur la terre, qu'il finit par comprendre. La visite d'un Maître spirituel de très haut niveau, venu des sphères supérieures du ciel pour l'occasion, le conquit totalement.

Par après, Jean fut admis, dans sa robe blanche cette fois, au Temple de la Sagesse. Il accompagnait le cordonnier qui était lui aussi un ancien prêtre. Jean avait définitivement abandonné la soutane pour le port de son vêtement spirituel. Après des études fructueuses, car il était un être appliqué, il se mit à la recherche d'un maître de sagesse qu'il trouva aussitôt. Ils procédèrent à une revue de son évolution spirituelle réalisée au cours de toutes ses incarnations antérieures et le maître l'aida à trouver sa voie. Il se mit à œuvrer auprès des âmes troublées qui arrivaient au Paradis. Sa deuxième activité était bien différente, car il étudia le théâtre historique où il devint un acteur fameux. Sa formation de prédicateur lui servait et il pouvait maintenant mettre à profit ses qualités exceptionnelles d'orateur. Les fleurs et les fruits ne l'intéressaient guère ; son rajeunissement fut dès lors assez lent.

ÉRIC

Les parents d'Éric étaient très fiers de leur fils qui réussissait admirablement tout ce qu'il entreprenait ; autant ses études que ses activités parascolaires. Il se classait toujours premier dans chacune des matières et cela sans grand effort. Tout lui était si facile qu'il développa une certaine nonchalance. En plus, il était doué d'un talent artistique sûr, comme l'attestait le succès étonnant qu'il avait déjà eu lors d'une exposition de ses peintures, alors qu'il avait à peine dix-huit ans.

Avec un de ses bons copains Rodolphe, qui venait d'un milieu pauvre, il avait fondé à son collège des équipes d'entraide, pour soutenir des familles du bas de la ville qui étaient sur l'assistance sociale, sans espoir de s'en sortir un jour. Pendant cinq ans, il passa la majeure partie de ses fins de semaine à organiser des corvées pour des personnes âgées et handicapées. Ces personnes démunies étaient prises en charge par les familles pauvres qui de leur côté recevaient un support financier de la part des étudiants du collège. C'était une œuvre magnifique qui se faisait dans la discrétion. Il était défendu de raconter à quiconque les activités de ce groupe d'étudiants. Ces derniers avaient transformé le quartier populaire en une petite société où l'amour sincère et l'entraide avaient créé une solidarité remarquable.

C'est lors de l'une de ses multiples visites dans ce quartier qu'Éric avait rencontré un représentant de la petite mafia qui cherchait à pénétrer ce secteur, pour y contrôler les ventes de drogues et la prostitution. En peu de temps Éric avait perdu sa liberté au profit des drogues qui au début avaient été gratuites, pour mieux le rendre dépendant. Il devint complètement esclave des drogues qui y circulaient. Il se mit à avoir un comportement tellement étrange qu'il fut chassé du quartier. Ses parents étaient découragés de le voir gaspiller ainsi sa vie et ils essayaient bien en vain de l'aider. Un jour qu'il ressentait encore davantage la désolation et la culpabilité face à la douleur qu'il infligeait à ses parents, il prit une dose très forte en vue de se geler de manière plus drastique. Malheureusement, dans son état de panique, il avait mal calculé la dose et il en mourut.

La transition d'Éric fut très ardue car son corps spirituel avait été très endommagé par sa consommation de substances nocives. Il erra pendant un certain temps autour de la terre ne réalisant pas qu'il était mort. Il croyait qu'il était le sujet d'hallucinations car il continuait de voir très clairement ses parents et amis qui l'ignoraient totalement parce qu'eux ne pouvaient le voir. Il cherchait les endroits sur terre où les drogués se tenaient, afin d'éprouver avec eux les effets des substances qu'ils prenaient.

Comme il n'avait pas réussi à traverser le tunnel qui mène aux mondes supérieurs, il était attaqué par des êtres désincarnés, vils et méchants qui s'acharnaient sur des entités humaines perdues comme lui. Il souffrait tellement qu'il se mit à crier à l'aide de toutes ses forces. Au même moment, un être de lumière vint à sa rencontre et lui expliqua son nouvel état. Ensemble ils franchirent le tunnel ; il était sauvé.

Il se sentit attiré par une lumière chaleureuse qu'il suivit pour arriver à l'entrée du paradis. Il fut amené immédiatement à l'hôpital pour un très long repos ; son corps était excessivement faible. Ses parents avaient organisé des funérailles où tous les étudiants de son collège de même que de très nombreux représentants du quartier pauvre, avaient prié très sincèrement pour le repos de son âme. Ces prières ainsi que son œuvre auprès des démunis lui avaient valu de pouvoir mettre un terme à ses tourments, et de pénétrer dans le monde céleste.

Il se passa plusieurs mois terrestres avant que le corps spirituel d'Éric soit guéri et qu'il puisse jouir enfin des délices célestes. À son réveil, un guide était près de lui pour l'instruire sur son nouveau monde. Éric passa beaucoup de temps à goûter pleinement à chaque aspect du ciel et il était tellement impressionné par toutes les couleurs si vivantes et précises qu'il ne se lassait pas d'admirer.

Il commençait à craindre de n'être qu'un flâneur dans ce magnifique ciel. Son guide sentit qu'il était prêt pour passer à l'action. Il lui suggéra un retour en arrière sur ses vies antérieures, avec un regard plus détaillé sur sa dernière incarnation. C'est là qu'Éric fut peiné de réaliser qu'il n'avait pas rempli complètement son mandat de vie. Il regretta ce fait, mais insista pour entreprendre le plus tôt possible des activités pour se corriger et réparer.

Il visita les Maisons du savoir où il reçut les rudiments sur la philosophie de l'univers. Ses visites lui firent découvrir les nombreux métiers qui y étaient enseignés, dont entre autres les suivants: architecte, maçon, ingénieur, écrivain, historien, fabricants d'instruments de musique, tisserand, archiviste, jardinier, éducateurs, savants, médecins et infirmières et des milliers d'autres métiers qu'il serait inutile d'énumérer ici. Dans la Maison de la Science il put étudier les nombreuses découvertes et inventions réalisées par d'anciens savants de la terre qui seront livrées aux humains, le jour où ces derniers pourront en faire un usage judicieux.

Non ! au ciel on n'était pas oisif ; c'était une véritable fourmilière où chacun travaillait en harmonie avec son collègue de travail, sans esprit de compétition et pour le bien de tous, tant au ciel que sur terre. Et de plus, sans fatigue ! Les leçons étaient apprises beaucoup plus facilement que sur terre. On ne les oubliait jamais. Les loisirs étaient très nombreux et conformes aux différents goûts des élus. Un humain incarné qui se promènerait au ciel aurait bien de la peine à réaliser qu'il a quitté la terre, tant la continuité avec cette dernière est véritable. De plus, certains auraient de la peine à y trouver des anges avec des ailes, jouant de la harpe, car ce n'est pas ainsi que l'on rencontre les merveilleux êtres spirituels des mondes supérieurs.

Éric fit les études de médecine qu'il aurait du réaliser lors de sa dernière incarnation et il se spécialisa dans les toxicomanies. Il lui arrivait souvent de revenir sur terre auprès des personnes qui poursuivaient des recherches en ce domaine, en vue de les inspirer dans leurs travaux. Ces derniers ne pouvaient le voir dans son corps céleste mais il était bel et bien présent à leurs côtés pour les assister. C'est ainsi que sur terre nous sommes épaulés, non seulement par notre guide et notre ange gardien, mais aussi par de nombreux humains qui ont fait leur transition et qui s'approchent de nous pour nous faire des suggestions appropriées. Ce sont nos aides spirituels. Il y a des médecins dans nos hôpitaux sur terre qui sont guidés par les médecins du ciel. C'est pourquoi ils réussissent parfois des opérations d'une telle délicatesse et souvent désespérées qu'ils ne croient pas sincèrement pouvoir effectuer avec succès. Et pourtant... !

La deuxième activité d'Éric consista évidemment en des cours et des productions de magnifiques tableaux où il expérimenta des coloris qu'on ne retrouve qu'au ciel. Ses talents, déjà impressionnants sur terre, se sont développés à un rythme très rapide et il étudie maintenant auprès des grand maîtres de la peinture classique et moderne. De plus, il initie à l'histoire de l'art de la peinture, dans les musées du ciel, les gens qui ne connaissent pas la peinture et qui aimeraient apprécier davantage les grand chefs-d'œuvre.

ROBERT

Robert est la personne qui a transmis par voie médiumnique le volume intitulé : « *Ma vie au Paradis.* » Durant sa vie terrestre il avait eu de nombreux contacts avec l'au-delà, de telle sorte qu'il avait une bonne idée de ce qui se passerait au moment de sa mort. Il sortit de son corps physique tout en douceur et demeura quelques instants avec les personnes qui assistèrent à son décès. Il ressentait leur peine et entendait chacune des paroles qu'ils exprimaient. Ce fut une première sensation de délivrance, car il ne ressentait plus aucune douleur causée par sa maladie terminale.

Son ami Edwin vint à sa rencontre rapidement pour l'escorter jusqu'au paradis. Ils se retrouvèrent immédiatement dans la maison de Robert qui avait été construite par les ouvriers du ciel, au moment où les ordinateurs célestes indiquaient qu'il allait bientôt faire sa transition. Ils parlèrent d'abord de la vie merveilleuse qu'il sentait à travers tout son corps et du fait que beaucoup de gens sur terre le considéraient « mort », alors qu'il ne s'était jamais senti aussi vivant, dans un corps spirituel très réel et beaucoup plus sain.

Edwin était un être très évolué sur le plan spirituel, ce qui lui valait d'habiter un niveau supérieur du ciel. Le niveau du ciel où était la maison de Robert était vraiment d'une rare beauté. Par ailleurs, il exprima le désir de visiter les quartiers d'Edwin et ils y furent escortés par un être de lumière qui était l'adjoint du Gouverneur du monde supérieur. Ce dernier dut élever le niveau de vibration du corps de Robert, qui autrement n'aurait pas pu franchir les barrières invisibles qui existent entre chaque niveau de ciel. Il fut ébloui par la richesse des bâtiments et par la qualité de rayonnement que dégageaient toutes les personnes habitant ce monde. Il apprit que c'est par le service, l'amour gratuit et la sagesse que nos corps spirituels se développaient et nous permettaient d'accéder à ces niveaux.

Il y avait tellement de loisirs au ciel. Au début, Robert assista à plusieurs concerts, parce qu'il était fasciné par les étonnants jeux de couleurs qui s'élevaient de l'orchestre à chaque fois que les musiciens commençaient à jouer. En effet, au ciel, chaque son a une couleur précise, et chaque couleur, par conséquence, émet un son particulier.

C'est dans le Temple de la Sagesse, où l'on était admis lorsqu'on était prêt, qu'il se forma à la métaphysique et aux lois spirituelles qui gouvernent tous les univers. Il reçut aussi des notions de cosmogonie et de cosmologie, non seulement pour les planètes connues des savants de la terre, mais aussi pour d'autres systèmes planétaires où les entités étaient beaucoup plus évoluées que les humains. De fait, les humains qui ont tendance à se prendre pour le nombril de l'univers, constituent la race la moins évoluée. Alors qu'il quittait un de ses cours, qu'il avait apprécié au plus haut point, Robert alla se reposer près de la mer et là, sur le sable pur et brillant il se mit à rêver pendant son léger sommeil. Et c'est là qu'il fit son rêve le plus beau qu'il consigna dans son cahier à son réveil.

Mon rêve le plus beau

...J'ai rêvé que j'habitais une planète où les enfants naissaient dans une communauté d'amour inconditionnel, en harmonie totale avec toutes les créatures.

Le bruissement du feuillage des arbres berçait les soupirs des animaux, émerveillés de la venue d'une nouvelle entité humaine, destinée à répandre partout la beauté de son être de lumière. De nouveaux parfums se répandaient autour de sa corbeille capitonnée de mousseline et de dentelle, car les fleurs voulaient lui faire un accueil princier.

Tout le village était réuni autour du berceau et, de chacun émanaient des étincelles de tendresse vers l'enfant recevant sa première communion à la vie amoureuse de toutes les entités présentes. Cette douce énergie pénétrait paisiblement tout l'être du petit qui ressentait un sens profond d'unité avec tous les êtres qui l'entouraient de sollicitude.

Par après, je me sentis attiré par une immense maison de marbre blanc pur et translucide au dessus de laquelle tournait nerveusement un nuage gris perle. J'y pénétrai doucement et je vis, sur une table de granit rose, un homme dont le visage était recouvert de terre humide. Ses membres bougeaient au rythme de la musique qui provenait directement du cœur de ses frères et de ses sœurs réunis en vue de sa guérison.

J'ai appris que cet homme était malheureux parce qu'il s'était senti séparé de la communauté fraternelle. Il avait décidé de s'élever au-dessus des autres, se croyant supérieur et investi d'une mission de Guide. Mal lui en prit car la sensation de distinction avait dégénéré en sentiment de dépit, qui était en train d'éteindre la flamme brillant en son cœur. Ce mal ne pouvait être guéri que par l'amour inconditionnel de ses frères et de ses sœurs.

J'ai vu l'opération miraculeuse se produire devant mes yeux. Tous les bras se sont tendus vers lui et du cœur de chacune des personnes présentes, un rayon lumineux vint caresser le corps du malade. Un sable brillant glissa de sa chair et sa peau reprit son bel éclat de vitalité ; il était sauvé.

C'est ainsi que l'on vivait sur cette planète, où tous les habitants étaient des guérisseurs, parce qu'ils avaient développé au plus haut point leur amour inconditionnel.

Et je me suis demandé dans quel monde j'étais. Je sus que j'avais, inopinément, visité la planète Cyrus-C qui servira de modèle à la planète Terre, dans le futur. Je me suis mis à rêver...et j'ai fait le plus beau rêve de ma vie.

5.2 Les mondes inférieurs

Dans l'au-delà, il n'y a pas d'enfer, comme celui décrit par les religions chrétiennes, avec de grands fourneaux d'où sortiraient des flammes éternelles pour brûler les damnés dans un tourment sans fin. Il n'y a même pas d'armée de diables qui agiraient sous la direction d'un Satan ou d'un Lucifer. Il y a par contre un monde de douleur et de tourment où vont les entités humaines expier leurs actes dégradants contre leurs frères et leurs sœurs, lors de leur dernier passage sur la terre.

La « *LOI DU RETOUR* » s'applique inexorablement. Tout le mal que l'on fait nous revient un jour ou l'autre ; si ce n'est dans un avenir immédiat sur terre, ce sera après notre mort. Ce n'est pas Dieu qui nous punit, mais bien nous-mêmes à cause de nos propres actes perpétrés avec notre libre arbitre. Il y a une justice immanente à laquelle nul ne peut échapper, aussi certain que personne ne peut échapper à la mort. C'est ainsi que nous *méritons* notre entrée au paradis ou notre passage dans les mondes inférieurs.

Les mondes inférieurs que l'on peut nommer l'Enfer, puisqu'il s'agit d'un lieu précis réservé à l'expiation des damnés, est situé immédiatement autour de la terre. Les deux mondes sont adjacents. C'est un lieu physique de matière moins dense que la terre de telle sorte que seules les personnes qui possèdent la double vue peuvent voir certains damnés. Ils rodent à l'occasion près des humains de la terre. On peut y avoir accès directement à partir de l'espace terrestre, lors de la mort du corps physique ou à partir du ciel qui lui, est situé si l'on peut dire, au delà de l'enfer.

Le passage dans ce lieu d'épuration et d'expiation est temporaire. Il peut durer une courte période, comme il peut être le sort de certains pour des siècles, selon la gravité des fautes et la dureté du cœur de celui qui ne veut pas reconnaître ses responsabilités, et qui ne cherche pas l'aide dont il a besoin pour s'amender. Le chemin ardu et lent hors des mondes inférieurs exige l'honnêteté et l'humilité. La réparation par des amendes honorables adéquates est aussi essentielle au salut.

Tout comme le ciel où certains voient sept niveaux, l'enfer comporte des degrés ou niveaux différents selon la gravité des actes posés. De plus, tout est multiplié dans ces mondes, autant la beauté pour les mondes supérieurs, que la laideur et la grossièreté pour les mondes inférieurs. Les habitants de l'enfer portent dans leurs chairs, leur visage et dans leurs vêtements, l'intensité de laideur qui correspond à leur manque d'évolution. Plus les crimes sont graves, plus les êtres sont repoussants.

Certaines personnes peuvent voir ces « diables » et ils les trouvent tellement affreux et terrifiants. Je connais une personne qui a reçu la mission de libérer des personnes de la terre qui sont harcelées et « possédées » par ces démons. Ce mandat ne peut s'accomplir qu'avec l'aide des êtres de lumière. À chaque fois qu'ils ont à les affronter c'est toujours une séance excessivement pénible, tant pour la personne atteinte que pour l'exorciste. On ne peut faire face au mal personnifié dans ces êtres aussi affreux, sans en être quelque peu ébranlé. Seule une grâce tout à fait spéciale et venant de Dieu peut permettre un tel détachement et une si grande charité.

Imaginons le sort réservé à deux types de personnes qui ont abouti en enfer et qui furent visités par Ruth dont nous avons déjà décrit une partie de la vie au Paradis.

DONALD

Au cours de sa vie, Donald avait amassé une fortune colossale afin d'atteindre la gloire, sans jamais penser qu'un jour il allait mourir, et qu'il n'apporterait pas un sou noir avec lui dans l'autre dimension. Plusieurs de ses millions avaient été acquis par procédés légitimes sur le plan légal, mais tout à fait condamnables sur le plan moral. Il était d'une dureté extrême dans ses transactions et il avait ainsi causé bien des désastres financiers, pour toutes les personnes qui s'étaient mises sur sa route.

Il n'avait aucune empathie pour les êtres humain qu'il considérait toujours comme des ennemis à abattre. Les problèmes énormes qu'il leur causait à eux et à leur famille étaient les moindres de ses soucis. Heureusement, il n'avait pas eu d'enfants et sa femme dut endurer ses exigences extrêmes durant leur trop longue vie matrimoniale. Elle était sa servante, et il s'arrangeait pour qu'elle ne l'oublie jamais.

Sur la fin de sa vie, comme il n'avait aucun ami, il se mit à fréquenter les comités de son église en vue d'y exprimer une générosité tardive, pour amadouer le Grand Patron de cette organisation qui se trouvait au ciel et dont il avait une peur extrême. C'est ainsi qu'il défraya les coûts de restauration de la petite église de son village et son nom figurait maintenant sur une grande plaque de marbre à l'entrée du temple.

Afin de se rendre jusqu'à la demeure de Donald dans les enfers, Ruth avait du être accompagnée par un être de lumière qui avait le pouvoir de pénétrer dans les mondes inférieurs sans être affecté par son atmosphère suffocante. Au moment où ils quittaient l'espace réservé au ciel pour s'approcher de l'enfer, ils avaient d'abord noté une modification fondamentale du décor naturel. En effet, le gazon devenait de plus en plus jaune et il y avait absence totale de couleurs, puisqu'aucune fleur ne pouvait pousser dans ce milieu sombre qui n'était jamais éclairé par un soleil. Il pénétrèrent à travers un brouillard que nul damné ne pouvait franchir en sens inverse. Plus ils avançaient, plus le sol devenait aride et l'atmosphère grise, de telle sorte que leurs pieds se retrouvèrent dans une poussière qui dégageait des odeurs nauséabondes.

Nos visiteurs aperçurent plusieurs âmes en peine qui erraient sans avoir aucun sens de direction et aucun but. Ils étaient en haillons et leurs visages étaient hideux. Ils semblaient être liés par un destin commun, car même en enfer, ceux « qui se ressemblent s'assemblent », en vertu de « *LA LOI DU CERCLE* » qui s'applique à tous les plans. Leurs visages étaient marqués par la frayeur et la peine qui leur donnaient un air de vieillards complètement usés.

À un moment donné ils virent une cabane dont les murs étaient ajourés. Un vent glacial y pénétrait et Ruth y entra pour y rencontrer son habitant. Il n'y avait qu'une seule pièce et Donald y était assis sur la chaise qui constituait tout le mobilier de l'unique pièce de la maison. Dès leur entrée, Donald sentit leur présence, bien qu'il ne pouvait les voir. De leur côté les visiteurs le voyaient très bien dans sa désolation complète. Il se mit à leur crier des injures et à dire qu'il était victime d'une injustice. Il avait été sur terre un homme intègre et efficace, et il avait été généreux, comme en faisait foi la plaque dans l'église de son village. Ruth lui soufflait à l'oreille les noms des personnes qu'il avait mis à la rue, en vue de susciter un début de remords. Il entrait dans une grande colère et accusait ces vauriens de n'avoir eu que ce qu'ils méritaient, puisqu'ils n'étaient que des fainéants vicieux qui ne pensaient qu'à faire des enfants.

Ruth décida de se montrer dans son corps céleste et lui indiqua qu'elle serait toujours disponible pour le rencontrer, si jamais il croyait qu'il avait besoin d'aide. Il fut complètement subjugué par la beauté de Ruth et des larmes se mirent à couler sur ses joues. C'était la première fois que son âme prenait une douche et elle était provoquée par une émotion qu'il n'avait jamais ressentie auparavant. Le film de sa vie se déroula devant ses yeux. Il ressentit chaque douleur qu'il avait causée par ses gestes sur la terre et les rares joies qu'il avait pu susciter chez sa femme, au début de leur mariage. Ruth et l'être de lumière le laissèrent à ses réflexions et à son examen de conscience. Il est sur la bonne voie qui un jour lui permettra de quitter cet univers de solitude et de peine.

WILHELM

En quittant Donald, Ruth et son guide se rendirent un peu plus loin dans les mondes inférieurs. Plus ils avançaient plus l'air était vicié et les odeurs sordides. Les êtres étaient de plus en plus monstrueux et difformes. Ils étaient d'un agressivité redoutable les uns envers les autres, et les tourments qu'ils s'infligeaient mutuellement semblaient ne jamais finir. Ruth s'approcha d'un gigantesque cratère de boue à l'odeur fétide où des damnés s'acharnaient sur un être en particulier. Ils le frappaient continuellement et le faisaient rouler dans le cratère, pour enfin essayer de l'étouffer sous la boue immonde. C'était l'entité Willhelm, ancien médecin des camps de concentration d'Allemagne que des généraux, ayant servi sous Adolf Hitler, martyrisaient. Ils accusaient Wilhelm d'être responsable de leur damnation et désiraient lui faire payer jusqu'à la mort leurs tourments abominables. Mais, Wilhelm ne mourrait jamais !

Je ne crois pas qu'il soit utile de s'étendre davantage sur les mondes inférieurs, car on risquerait de déclencher des peurs qui n'auraient aucune valeur thérapeutique. Concentrons-nous plutôt sur le ciel et faisons le souhait de nous y retrouver tous un jour.

6 Réincarnations

Les personnes, qui ont reçu une éducation chrétienne et catholique, n'ont jamais entendu parler les prêtres ou les représentants de la hiérarchie catholique de la réincarnation. Pour l'église catholique, cette croyance est hérétique et contraire à la doctrine enseignée par cette église à travers ses décrets conciliaires, qui constituent les dogmes de la foi catholique.

Je propose aux chrétiens d'aujourd'hui de relire, avec un esprit ouvert et guidés par la recherche de la vérité, certains textes pertinents de la Bible considérée à juste titre une des sources fondamentales des principes de l'enseignement de l'église.

Le dernier livre de l'Ancien Testament, attribué à Malachie, se termine par une dernière prophétie en toute fin de texte et elle se lit comme suit :

> *« Voici que je vais vous envoyer Élie le prophète, avant que n'arrive le jour de Yahvé, grand et redoutable. »*

J'attire votre attention sur la note que l'édition de la Bible de Jérusalem nous donne au bas de la page au sujet de ce passage :

> *« Élie emporté au ciel 2 R 2 11-13, reviendra. Ce retour, annoncé ici, restera un trait important de l'eschatologie juive. Jésus a expliqué qu'Élie est venu en la personne de Jean-Baptiste, Mt 17 1-13 ; Mc 9 2-13 ; Mt 11 7-14. »* (L'exégète aurait pu ajouter aussi Lc 1 17)

L'évangéliste Saint Luc nous raconte, au début de son évangile, la naissance et la vie cachée de Jean-Baptiste et de Jésus. Il nous livre le récit de l'annonce à Zacharie, son père, de la naissance de Jean-Baptiste, alors que l'archange Gabriel lui indique son rôle de précurseur en ces mots : *« Il marchera devant lui avec l'esprit et la force d'Élie... »*(Lc 1 17)

Après la transfiguration de Jésus, racontée par Saint Matthieu, les apôtres Pierre, Jacques et Jean qui ont assisté à cet événement mémorable furent impressionnés par l'apparition de Moïse et d'Élie aux côtés de Jésus, *« ...les disciples lui posèrent cette question : « Que disent donc les scribes, qu'Élie doit venir d'abord ? » Il répondit : « Oui Élie doit venir et tout remettre en ordre ; or je vous le dis, Élie est déjà venu, mais ils l'ont traité à leur guise. De même le Fils de l'homme aura lui aussi à souffrir d'eux. » Alors les disciples comprirent que ses paroles visaient Jean-Baptiste. » (Mt 17 10-13)*

Saint Mathieu traite à un autre endroit de la question de Jean-Baptiste et du témoignage que lui rend Jésus, toujours dans les mêmes termes : « *Tous les prophètes en effet, ainsi que la Loi, ont mené leurs prophéties jusqu'à*

Jean. Et lui, si vous voulez m'en croire, il est Élie qui doit revenir. Que celui qui a des oreilles entende ! » (Mt 11 13-14)

Et l'exégète de l'édition de la Bible de Jérusalem, qui semble faire la sourde oreille, prétend cette fois-ci, dans sa note au bas de la page, que Saint Matthieu de même que le prophète Malachie ont du se tromper à deux reprises puisqu'il conclut :

> *« Le précurseur annoncé par Ml 3 23-24 n'a pas été Élie mais Jean-Baptiste, 11 14 ; Lc 1 17. »*

Il faut se demander comment cet exégète peut contredire la déclaration claire et solennelle de Jésus à cet égard qui stipule qu'Élie est revenu dans la personne de Jean-Baptiste. Un de mes professeurs de latin aimait citer cette locution latine qui conviendrait à notre exégète : « *Abyssus abyssum invocat* », ce qui signifie qu'une faute en entraîne une autre. Il ne peut certes évoquer une incarnation possible d'Élie dans l'entité Jean-Baptiste, car il doit défendre l'enseignement de l'église. Ce serait hérétique de sa part ! Et peut être que cette autre locution latine pourrait s'appliquer ici : « *Asinus asinum fregat* », (L'âne frotte l'âne) !

Mais qui est donc ce fameux Élie qui se serait réincarné dans la personne de Jean-Baptiste ? L'Ancien Testament nous raconte son histoire au premier Livre des Rois. Il s'agit d'un prophète très important qui ramena le peuple choisi à la vraie foi en un Dieu unique, Yahvé. Le peuple élu s'était laissé allé à la débauche doctrinale, en s'associant aux quatre cent cinquante prophètes du dieu Baal. Élie réussit à convertir Israël et à détourner le peuple des prophètes de Baal. Toutefois, il ne se contenta pas de cette victoire religieuse puisqu'on raconte : « *Élie leur dit : « Saisissez les prophètes de Baal, que pas un d'eux n'échappe ! » et ils les saisirent. Élie les fit descendre près du torrent du Quishôn, et là, il les égorgea.* » (1 R 18 40)

Pour la fin de cette histoire , on doit se rappeler qu'Élie, incarné dans la personne de Jean-Baptiste, mourut décapité sur l'ordre d'Hérode. Un juste retour des choses quoi. « *LA LOI DU RETOUR* » s'est appliquée même à ce grand prophète. Jésus, qui avait fait tellement de miracles et qui avait certes les pouvoirs pour le sauver, n'a rien pu contre le karma d'« Élie-Jean-Baptiste ». Élie devait payer sa dette et c'est ce qu'il fit. Il fut décapité comme il avait décapité les moines de Baal. Et si un des grands prophètes a du se réincarner pour expier ses fautes, pourquoi serions-nous à l'abri de la justice immanente et...de la réincarnation.

Sommes-nous si importants, pour notre part, qu'une seule incarnation devrait suffire à réparer toutes les fautes, les injustices, les tribulations que l'on a commises à l'égard de notre prochain, soit en cette vie ou au cours d'incarnations précédentes ? Jusqu'où peut aller la prétention de l'être humain !

La loi de renaissance et de son corollaire, celle du karma, sont en général très mal comprises par nos penseurs occidentaux, qui réfléchissent à ce phénomène depuis peu de temps. Certains rejettent du revers de la main ces concepts, en suggérant que ces lois ne peuvent qu'abrutir les humains, étant donné que tout est karmique et qu'il ne sert à rien de chercher à améliorer son sort. D'autres, inspirés par les théologiens catholiques, ne peuvent accepter une loi d'expiation personnelle, alors qu'ils doivent mettre de l'avant un dogme de Rédemption, qui prétend que l'expiation a été prise en charge par Dieu lui-même, à travers son Fils unique Jésus.

Par ailleurs, il est paradoxal de noter d'une part la théologie d'une faute originelle commise par le premier couple d'humains, et d'une responsabilité collective, pour tous les descendants, à savoir tous les humains. Même avant de naître, un enfant voit toute sa future existence entachée à cause de la faute de ses parents, le péché originel. Dieu nous condamne donc à nous incarner, alors qu'il sait très bien qu'à chaque fois qu'il crée une nouvelle âme, cette dernière devra expier pour une faute qu'elle n'a pas commise. Et alors Dieu voit son erreur, et il nous expédie son propre fils pour nous sauver d'un système très injuste. Et alors Jésus le Christ serait venu pour nous sauver. Si d'une part notre rédemption est assurée par un autre, alors on peut pécher tant qu'on veut puisqu'à la fin on sera racheté. D'un autre côté, si le monde a reçu la rédemption de Jésus, comment se fait-il que le mal et la souffrance existent toujours sur la terre ?

C'est une des aberrations où nous mène un concept de responsabilité collective alors que chaque être humain a une responsabilité individuelle. Nous héritons des carences génétiques de nos aïeuls mais nous entrons dans cette vie avec notre propre responsabilité, pour tous nos actes passés, présents et futurs. L'hérédité a une limite et c'est celle de la responsabilité morale.

Quelle est donc cette loi spirituelle qui permet à une âme de revenir sur terre pour se réincarner. Elle dérive de la justice immanente qui est liée à la loi de cause et d'effet. Chaque geste que nous posons, positif ou négatif, engendre un effet positif ou négatif qui nous revient, à un moment donné ou à un autre, car nous sommes des êtres responsables. De là, «*LA LOI DE CAUSE ET D'EFFET*», que certains nomment «*LA LOI DU RETOUR.*»

J'étais un jour très pressé et je me suis précipité à la station de métro près de chez moi. Lorsque j'arrivai au guichet, il y avait une dame âgée qui éprouvait des difficultés à insérer sa passe dans le guichet automatique. Je devins impatient et je me suis surpris à penser: «*Pourquoi une personne âgée vient nous embêter dans le métro ? Si cette femme est incapable de poser un geste aussi simple, elle ferait mieux de rester chez elle* !» Elle finit par passer et je me suis empressé d'en faire autant.

Une fois passé le guichet, j'ai échappé par terre ma propre carte. Je me suis penché pour la ramasser. Au même moment, un jeune étudiant se butta sur moi car je lui barrais le chemin. Fâché d'être retenu par moi, il s'écria : «*Espèce d'emmerdeur* ! *Vous êtes sans doute trop vieux pour prendre le métro* !» Je me suis mis à rire de moi-même et à penser que la loi du retour était parfois d'une efficacité fulgurante. Je cherchai la dame âgée en vue de lui rendre un service, mais elle était disparue. Par après, je cédai mon siège à une autre dame dans le wagon et elle me fit un sourire qui m'apporta un réconfort merveilleux. Mais on ne peut pas toujours corriger nos manquements et nos omissions qui sont plus graves et ils constituent nos dettes que l'on devra inévitablement régler.

Lors de notre mort, si nous n'avons pas réussi à expier toutes nos fautes, et c'est le lot de la grande majorité d'entre nous, il nous sera possible de revenir sur terre à nouveau pour expier. De là aussi, « *LA LOI DE RENAISSANCE* » dont « *LA LOI DE RÉTRIBUTION* » n'est qu'un aspect.

> *« Toutes les âmes s'incarnent et se réincarnent selon la Loi de renaissance. Il en découle que chaque existence n'est pas seulement une récapitulation de l'expérience de la vie, mais la reprise d'anciennes obligations, d'anciennes relations, elle offre l'opportunité de payer d'anciennes dettes, une chance de restitution et de progrès, d'éveil de qualités profondément enfouies, de reconnaissance d'anciens amis et d'anciens ennemis, la réparation d'injustices, et donne l'explication de ce qui conditionne l'homme et le fait tel qu'il est. »*
> **(Alice A. BAILEY, op. cité p. 556)**

Quels sont donc les facteurs qui motivent une incarnation terrestre ? Il y a d'une part le désir de réparer nos torts et d'éliminer notre karma négatif. Par exemple, si au cours de cette vie j'ai été raciste et misogyne, il y a de fortes chances qu'une de mes incarnations futures me verra dans le corps d'une femme de race noire. J'aurai alors à subir les mêmes affronts que j'ai infligés au cours de ma vie présente. Il en sera de même pour chacun de mes torts.

Par ailleurs, chaque incarnation propose des occasions d'évolution spirituelle, par l'acquisition de qualités précises et par le service à nos frères les humains. Chaque vie donne aussi l'opportunité d'acquérir un peu plus de sagesse, lorsque nous savons tirer les leçons des « *expériences* » que nous vivons. Il n'y a que deux façons d'apprendre : par la sagesse ou par la souffrance.

Et, il est important de se rappeler que les mêmes causes engendrent toujours les mêmes effets.

Finalement, certains êtres, en pleine évolution spirituelle, reviennent sur terre, soit pour terminer une tâche, ou pour une mission strictement charitable. Omraam Mikhaël Aïvanhof présente quatre catégories d'incarnations :

> « *On peut classer les êtres en quatre catégories du point de vue de la réincarnation.* ***La première catégorie*** *est composée de créatures que leur manque de lumière, de science, de conscience, de moralité, poussent souvent à commettre des crimes. Ils transgressent donc les lois, ils se chargent de lourdes dettes, et quand ils se réincarnent, ils viennent sur la terre dans des conditions qui les obligent à souffrir pour payer et réparer ; c'est pourquoi leur vie n'est pas tellement heureuse.*
>
> ***La deuxième catégorie*** *comprend des êtres plus évolués qui tâchent de développer certaines qualités et vertus pour se libérer. Mais dans le travail d'une seule incarnation ils ne réussissent pas à tout rétablir, c'est pourquoi ils doivent revenir pour achever leur tâche. Ils seront alors placés dans des conditions meilleures qui leur permettront d'avoir des activités plus utiles, plus élevées. Mais ils devront quand même revenir pour liquider certaines dettes du passé jusqu'à leur libération totale.*
>
> *Dans* ***la troisième catégorie*** *on trouve des êtres encore plus évolués qui sont seulement revenus sur la terre pour achever certaines tâches. Ils avaient très peu d'affaires à arranger et ils se distinguent donc dans cette vie par de grandes vertus, une cons-*

cience très large, et ils consacrent leur temps à faire du bien. Quand ces êtres-là quittent la terre, ils ont achevé leur mission, et ils ne reviennent plus.

Pourtant, certains parmi eux, au lieu de rester dans cet état de félicité, de bonheur, de liberté infinie dont ils jouissent au sein de l'Éternel, pris de pitié et de compassion pour les êtres humains, quittent cet état merveilleux pour descendre volontairement les aider et ils acceptent même d'être tués, massacrés. » **(O. M. AÏVANHOV, Op. cité, p.167-168)**

C'est pourquoi, il nous est impossible de juger sur terre la qualité véritable d'une entité humaine, car nous ne savons jamais le motif d'une incarnation précise. Par exemple, on peut considérer le cas d'un personne qui s'est incarnée dans un corps difforme. Est-ce là un juste karma pour une tentative de suicide dans une incarnation antérieure ou est-ce le fait d'une âme très évoluée, qui a choisi ce corps pour permettre à ses parents de vivre une expérience d'amour inconditionnel ? Nul ne peut répondre à cette question et nul ne peut juger du but de la vie de quelqu'un.

Tout ce que nous faisons sur terre et toute omission qui a une répercussion sur les autres être humains s'enregistrent selon « *LA LOI D'ENREGISTREMENT* ». Lorsque nous développons le projet de nous réincarner, soit à partir du premier niveau de l'enfer, ou d'un niveau quelconque du ciel, nous devons nous présenter devant le Conseil du Karma, avec le film de notre dernière incarnation. Il s'agit d'une assemblée d'êtres très évolués qui en dernier essor vont nous accorder ou non l'autorisation. Avec notre guide nous allons défendre notre projet. La question fondamentale est de savoir si nous avons tiré les leçons conséquentes de notre karma passé, et si notre projet nous permettra d'améliorer notre structure spirituelle.

Un projet de réincarnation comporte des éléments de réparation et d'autres d'évolution. On détermine aussi les circonstances les plus favorables. Tous ces critères servent de base pour déterminer les parents qu'on choisira, si ce privilège nous est acquis, de même que l'endroit et les personnes que l'on rencontrera dans cette vie.

> *« Vous êtes unis par les liens du karma à votre famille et à vos amis, et vous avancez ensemble sur le chemin de l'évolution en famille et en groupes. Selon votre karma vous trouverez l'amour et le bonheur qui vous attendent ; ou peut-être la haine et la discorde – et votre tâche sera de la transmuer. »*
> **(AIGLE BLANC, Op. cité, p.142)**

C'est ainsi que le hasard n'existe pas et que toutes les personnes qui sont sur notre route, ont été prévues. Ce qui ne l'est pas c'est la façon qu'on va se comporter face à elles, cette fois-ci. C'est là qu'est notre liberté et l'occasion d'évoluer. Notre ange gardien s'assure que toutes les circonstances nécessaires à la réalisation de notre projet seront là. Nous sommes tous dans notre vie, placés où nous pouvons être le plus utiles et où nous avons l'occasion de faire le bien. Par ailleurs, notre guide spirituel nous assiste alors à sa réalisation par de judicieux conseils. C'est la petite voix de notre conscience que bien peu de personnes écoutent et elles se retrouvent dans toutes sortes d'embarras bien inutiles.

On a le don de compliquer les choses et de nous rebiffer devant des occasions d'expériences que nous considérons comme des épreuves. De plus, on a tendance à vivre pendant de longues années le syndrome de « *c't-à-cause* ». En effet, c'est toujours *à cause des autres* si nous sommes malheureux. Comme cet homme irascible, qui me racontait que sa femme était folle. Je me suis empressé de le féliciter pour son choix. C'est lui qui l'a choisie non ? Et, ceux qui se ressemblent, s'assemblent !

Il serait sage de se libérer de ce syndrome qui finit par empester toute une vie et par nous limiter à être d'éternels enfants, qui ne parviennent jamais à la maturité. Un des bons moyens pour réussir à s'en débarrasser est de faire un inventaire moral et minutieux de nous-mêmes, à partir de l'enfance jusqu'à aujourd'hui.

Lors de cette revue, on revoit toutes les personnes et les circonstances qui ont pu provoquer chez nous des sentiments d'apitoiement et de ressentiment. Nous considérons aussi les moments et les personnes que nous avons nous-mêmes offensées. On ne doit pas oublier le mal qu'on s'est fait à soi-même. Nous sommes souvent notre pire bourreau. Par après, avec la grâce de Dieu, nous procédons au pardon de toutes ces personnes qui nous ont fait du tort et qui n'ont pu nous donner que ce qu'elles avaient, avec leurs aptitudes et leurs capacités limitées.

Certaines personnes ont pu nous faire des outrages graves parce qu'elles étaient malades spirituellement. Nous ne pouvons en vouloir à des malades et nous les traitons comme nous traiterions une personne alitée dans un hôpital.

Le pardon est un acte d'amour et il peut être très difficile de poser un tel geste en regard de personnes qui nous ont profondément blessés et meurtris. Je pense aux victimes de viol et d'inceste. Elles ne peuvent, dans un premier temps, qu'être révoltés et animées d'un sentiment aigu de vengeance. Mais, la haine ne guérit rien. Elle ne fait qu'accentuer le degré de souffrance. C'est dans ces moments qu'il nous faut absolument l'aide de Dieu, face à ces personnes qui comme nous sont ses fils et ses filles égarés.

On comprend que seul Dieu, peut parfois pardonner. Et nous passons PAR Lui pour effectuer ce DON (PARDON). Il n'y a souvent que la prière, à l'intention de ces entités en terrible détresse, qui peut nous libérer.

Et nous nous pardonnons à nous-mêmes car nous sommes aussi des personnes fautives et limitées.. C'est à ce prix que nous pouvons devenir des êtres libres et finalement heureux. Certains de nos crimes peuvent nous sembler irréparables. N'oublions pas que Dieu ne juge jamais. Et si Dieu ne nous a pas condamné pourquoi le ferions-nous. Sommes-nous plus importants que Dieu ?

À l'instant où nous nous incarnons, nous perdons la mémoire de nos vies antérieures et des périodes paradisiaques que nous avons vécues entre deux vies. Un voile se dresse sur le passé pour nous permettre de nous consacrer entièrement à notre nouvelle vie terrestre, pour la bonne et simple raison que les souvenirs de vies antérieures ne feraient que nous distraire de l'objectif de ce nouveau mandat de vie, et pourrait rendre la transmutation de notre karma très pénible.

Certains peuvent avoir des flashes de vies antérieures mais nous n'en connaissons jamais tous les détails. C'est ainsi, qu'un jour où je méditais sur l'incarnation qui a du précéder celle que je vis aujourd'hui, je me suis retrouvé en Suisse où je me suis vu, très brièvement, propriétaire d'une charcuterie. J'ai pu alors faire un rapprochement avec le fait qu'au cours de mes années de collège j'étais si intéressé par les langues étrangères. Dès l'âge de quinze ans je me suis mis à l'étude de l'italien et de l'allemand. Un peu plus tard, à l'âge de vingt-six ans, je me suis retrouvé en Suisse et j'ai vécu une expérience de « déjà vu » qui m'avait profondément bouleversé.

C'était la première fois que je me retrouvais dans ce pays. Lors d'une marche nocturne dans la ville de Lausanne, j'ai vu dans mon esprit les commerces situés aux quatre coins de l'intersection dont je m'approchais et qui étaient encore tellement éloignés, que je ne pouvais les apercevoir. Et pourtant je voyais la banque qui faisait face à une charcuterie et aux deux autres coins un petit hôtel qui regardait un café-terrasse. C'était pour moi comme une vision d'un endroit qui me semblait tellement familier alors que c'était la première fois de ma vie que je visitais cette ville magnifique.

Par ailleurs, il arrive à tout le monde de rencontrer des personnes pour la première fois et de se sentir totalement à l'aise avec elles. On a l'impression qu'on se connaît depuis toujours, qu'on peut se comprendre si facilement. La conversation est si chaleureuse et tellement féconde.

Nous ne devons pas oublier le bon karma accumulé qui va nous aider à réaliser notre *légende personnelle*, notre mission, notre mandat de vie. C'est grâce à ce karma positif si nous rencontrons autant de personnes agréables au cours de notre vie. Notre ange gardien connaît aussi ce karma positif et il ne se gène pas d'y puiser pour nous amener des circonstances heureuses. Car la vie est une succession de hauts et de bas et c'est ce qui la rend si attrayante. Il y a des moments difficiles et il y a aussi les occasions d'émerveillement et de ravissement ici même sur terre. J'ai parfois l'impression que si je ne réussis pas à découvrir sur terre des moments d'une sublime richesse pour le cœur et l'esprit, je ne pourrai jamais apprécier le ciel où je compte bien me rendre après ce si court passage sur terre. L'important sera toujours le moment présent. Chaque instant de notre vie est rempli d'une richesse inouïe. À nous de la saisir et retenons que chaque action du maintenant influence le déroulement de notre avenir.

Un des héritages de la vie que l'on peut récolter pendant que nous sommes encore bien vivants sur cette terre est la liberté d'être. On se lève le matin et notre première pensée est d'inviter Dieu à se manifester au plus profond de notre cœur, à purifier nos corps et notre esprit, à illuminer tout notre être pour qu'ensemble, dans une intimité totale, on puisse rayonner notre lumière de paix d'amour et de liberté, en toute simplicité. Contempler l'univers depuis l'intérieur, du point de vue de Dieu, et toutes les incertitudes de l'isolement matériel sont transformés en sécurité, dans une progression spirituelle éternelle. Et nous abordons le temps présent comme un moment d'éternité.

Il m'arrive parfois de vivre si intensément le moment présent à travers lequel je dépasse les frontières de la matière et du temps. Comme par exemple ce jour, où un matin, à mon lever, je m'étais dit que je vivrais cette journée, comme si c'était la dernière de ma vie terrestre. Je me suis senti alors envahi par une immense énergie comme si j'avais ramassé tout ce qui me restait de vie.

Et je me suis demandé ce que je désirais faire de mes dernières heures. L'unique pensée qui a alors traversé mon esprit fut celle de répandre le plus d'amour possible en ce jour ultime. Je me suis dirigé vers les hôpitaux, sans me soucier des heures prévues pour les visites, pour passer des moments de présence chaleureuse avec trois amis qui étaient aux soins palliatifs. Les paroles que nous avons échangées au cours de ces visites se sont perdu dans la mémoire du temps. Il ne me reste de cette journée qu'un sentiment de plénitude, comme si mon âme était complètement rassasiée de bonheur.

C'est à ce moment-là que j'ai compris qu'on ne peut expérimenter le bonheur qu'en le donnant. En effet, je ne m'étais jamais senti aussi heureux de ma vie et cette intensité de félicité m'était venue dans un désir de répandre le plus d'amour possible. Depuis ce jour, il m'arrive parfois de vivre des moments de lassitude de l'âme où je me surprends à être malheureux de mon sort. Quand ces périodes nuageuses surviennent, je me demande alors à quand remonte le dernier geste d'amour gratuit que j'ai posé. Invariablement, je réalise que mon apitoiement est à la mesure de mon oubli de moi-même. La solidarité humaine est absolue et je sais que c'est dans les gestes les plus simples d'abandon et d'amour que je récolte le bonheur et la liberté d'être. Puis, peu à peu, avec le temps auquel on donne le temps de faire son temps, naît l'harmonie qui installe dans le cœur la paix et la sérénité. Car le temps, c'est l'ombre de l'éternité.

7 Conclusion

L'être humain commence à ressentir la présence divine le jour où s'installe l'humilité. On doit d'abord reconnaître l'extrême limite du moi pour s'ouvrir à l'illimité de l'âme humaine. De l'inconscient surgit alors la dimension divine dans le conscient. L'entité humaine peut alors s'expérimenter comme un être terrestre et mortel d'une part, et comme personnalité divine et immortelle d'autre part. Et selon que c'est le moi qui se penche sur le phénomène de la mort ou la personnalité divine, l'homme envisage la mort comme une catastrophe, ou comme l'événement le plus heureux de sa vie.

Notre être de chair est borné dans ses conceptions et sa compréhension des phénomènes, tandis que l'âme n'a aucune limite, lorsqu'elle est unie à la Source de toute sagesse. C'est au plus profond de nous que nous pouvons trouver les réponses aux énigmes de la vie et de la mort. Et la réflexion doit être personnelle comme nous le dit si bien C.G. Jung :

« Le sens de mon existence est que la vie me pose une question. Ou inversement, je suis moi-même une question posée au monde et je dois fournir ma réponse, sinon j'en suis réduit à la réponse que me donnera le monde. »

(C.G. JUNG, Op. cité, p.362)

Dans cet essai, j'ai tenté de présenter mes propres intuitions sur la mort et l'au-delà. J'espère que mes pensées ont pu aider des personnes à se libérer des peurs qu'elles entretiennent sur ces thèmes. Par ailleurs, je désire aussi permettre aux survivants de vivre leur deuil dans la dignité et l'espoir. Ma réflexion ne peut en aucune manière remplacer la démarche indépendante et libre de chaque individu. La véritable paix d'esprit ne peut nous être donnée par qui que ce soit. Elle doit venir de l'intérieur de chacun d'entre nous. D'autres viendront proposer de nouveaux scénarios, sans doute plus plausibles. Toutefois, seule notre expérience personnelle peut nous dicter la pensée juste sur un thème aussi existentiel. Mon seul souhait est que cette présentation suscite un discernement qui nous procurera la quiétude.

En terminant, je vous propose une dernière inspiration sur la nature fondamentale de l'être humain.

L'école de la vie

L'être humain passe souvent toute sa vie à l'École primaire de la souffrance sans jamais être promu à l'Université de la sagesse.

D'où vient la souffrance sinon d'un sentiment de manque ; manque d'argent, manque de commodités, manque d'amis sincères, manque d'amour. Nous cherchons à acquérir tout ce que l'on peut, pour alléger cette souffrance : le plus d'argent possible, le plus de biens matériels, le plus de gens qui nous aiment.

Nous projetons constamment des pensées de vide à combler, de carence et, il n'y a aucune fin à la chaîne des objets convoités, des personnes désirées. Ces pensées nous reviennent amplifiées creusant toujours davantage le grand trou autour du cœur et nourrissant une douleur profonde d'abandon, de désarroi et de solitude, en dépit de tous les biens qui nous encadrent et de toutes les personnes qui gravitent autour de nous précisément à cause de ces biens qu'elles convoitent elles aussi.

Puis vient le jour béni, parfois, où la douleur du vide est telle que tout disparaît rapidement ; les biens sont dilapidés et les amis sont partis chercher ailleurs l'abondance qui nous a quittés. Nous souffrons alors d'un gouffre béant, d'une solitude absolue. Si nous persistons dans cette épreuve nous finissons par l'apprivoiser, par la pénétrer, par la connaître et par l'aimer sans condition. « Bienheureux les pauvres ».

Au fond de cet abîme surgit alors une faible lueur qui grandit peu à peu et qui devient lumière ; une lumière qui nous éclaire sur les leçons à tirer de cette expérience dans la matière. Cette lumière nous apprend que nous sommes des entités de lumière et que la matière physique et charnelle n'est qu'illusoire et éphémère. L'être de lumière est une entité libre de la matière qui n'est qu'un réceptacle temporaire où il est venu apprendre les leçons de la sagesse par rapport à cette matière dense et fugace.

Seule est éternelle sa lumière qui au début est aussi infime qu'un diamant de la dimension d'une tête d'épingle.

Peu à peu le diamant grandit à la mesure de la découverte de son sentiment d'unité avec tout ce qui existe. En tout est la lumière et je suis la lumière. La lumière existe en chaque objet, en chaque entité et je suis uni à la lumière. Je n'ai dès lors plus de perception de manque, de désir, de possession car je suis tout et je suis un. Et, le vide est comblé par ma propre lumière qui est la lumière de tout ce qui est sur tous les plans physique, cosmique et spirituel.

Ma relation avec les personnes humaines et les objets est alors basée sur l'affinité et non sur la dépendance, sur la fraternité éternelle, sur l'identité de toutes les âmes avec l'Âme Suprême en conformité avec la «*LOI DE COMPRÉHENSION AIMANTE*».

Et je connais alors Dieu puisque Dieu est tout en tout et il est La Lumière.

Homme, connais-toi, toi-même,
et tu connaîtras Dieu !

Références

- Eileen CADDY, *La petite voix*
  Collection Findhorn, Le Souffle d'Or, 1993.
- Marie DE HENNEZEL, *La mort intime*
  Une édition du Club France Loisirs, Paris, réalisée avec l'autorisation des Éditions Robert Laffont, S.A., Paris, 1995
- Arnaud DESJARDINS, *Pour une mort sans peur*
  Édition de la Table Ronde, Paris, 1983
- Baird T. SPALDING, *La vie des Maîtres*
  Éditions Robert Lafond, S.A. 1972
- Dr. Deepak CHOPRA, *Vivre la Santé*
  Les Éditions internationales Alain Stanké, 1978
- FYNN, *Anna et Mister God*
  Éditions du Seuil, 1976
- KRISHNAMURTI, *La première et la dernière liberté*
  Éditions Stock, 1994
- Ignace LARRANAGA, *De la Souffrance à la Paix*
  Éditions Paulines, 1993
- Ruth MONTGOMERY, *Au-delà de notre monde*
  Éditions J'ai Lu, 1990
- Allan KARDEK, *Le livre des esprits*
  Les Éditions de Mortagne, 1995
- Jeanne LAVAL, *L'Heure des Révélations*
  Éditions de Mortagne, 1979
- Antony BORGIA, *Ma vie au Paradis*
  Éditions du Roseau, 1989

- Antony BORGIA, *Le Paradis Retrouvé*
  Éditions du Roseau, 1992
- Dr Raymond MOODY, *La vie après la vie*
  Éditions Robert Lafond, 1977
- Dr. Raymond MOODY, *Lumières sur la vie après la vie*
  Éditions Robert Lafond, 1978
- Khalil GIBRAN, *Le Prophète*
  Librairie Générale Française, 1993
- Paulo CŒLHO, *L'Alchimiste*
  Éditions Anne Carrière, 1988
- AIGLE BLANC, *Développement spirituel*
  Éditions Partage, 1987
- AIGLE BLANC, *L'Aube se lève*
  Éditions Partage, 1988
- Édouard SCHURÉ, *Les Grands Initiés*
  Librairie Académique, Perrin, 1960
- Edgar CAYCE, *Channeling*
  Louise Courteau, éditrice inc. 1994
- *LA BIBLE DE JÉRUSALEM*
  Éditions Desclée de Brouwer, Paris 1975
- Robert A. MONRŒ, *Le Voyage hors du corps, Les Techniques de projection du corps astral*
  Éditions du Rocher, 1989
- Alice A. BAILEY, « *Réfléchissez-y* », une compilation
  Éditions LUCIS TRUST, New-York, 1988
- Omraam Mikhaël AÏVANHOV, *Regards sur l'invisible*
  Éditions PROSVETA, 1988

- DE ROCHAS, *Lumières sur l'après-vie*
  Éditions Amarande, 1992
- Antonio et Sylvie CRAXI, *L'aube d'une nouvelle ère*
  Éditions A. CRAXI, 1982
- Peggy MASON/Ron LANG, *Sathya Saï Baba, l'incarnation de l'amour*
  Éditions Arista, 1990
- *Les Maîtres ayant fait leur ascension écrivent le livre de vie*
  Nouvelles éditions Debresse
- JUNG, « *Ma vie* », *Souvenirs, rêves et pensées*
  Éditions Gallimard,1973

L'AUTEUR

Gilles Maurice PÉPIN est né le 4 septembre 1940, dans le quartier Saint Henri de Montréal, le septième d'une famille de quinze enfants. Gradué de l'Université de Montréal (B.A. et L.Th.), il a poursuivi des études de droit canonique à l'Université Grégorienne de Rome.

Il a œuvré au sein de la fonction publique fédérale pendant plus de vingt-cinq ans. Sa carrière a débuté dans les ressources humaines. Par après, il fut président de comités d'appel dans le cas de concours de promotion et de renvois d'employés. Puis, il a été successivement chef de cabinet, analyste de politiques sociales au bureau du Conseil Privé, directeur général des communications et, pendant douze ans, directeur régional des droits de la personne.

Au cours de sa vie, et plus particulièrement depuis sa retraite, il a accompagné, aux derniers instants de leur vie, plusieurs personnes. Il les a aidées à faire leur transition vers le monde de l'au-delà. Ces rencontres privilégiées ont suscité une longue réflexion sur le phénomène de la mort et lui ont permis de réaliser la possibilité de vivre cette étape dans une quiétude sereine.

Ce livre constitue une pause dans sa réflexion sur l'homme et sa destinée, où il propose un essai sur un art de mourir.